D1403632

Desmond Morris
BABYWATCHING

DESMOND MORRIS

BABYWATCHING

Was dir dein Baby sagen will

WILHELM HEYNE VERLAG
MÜNCHEN

Titel der englischen Originalausgabe:
BABYWATCHING
Ins Deutsche übertragen von Annekatrin Gudat

2. Auflage

Die Originalausgabe erschien 1991 im Verlag Jonathan Capte Ltd., London
Copyright © 1991 by Desmond Morris
Copyright © 1992 der deutschen Ausgabe by Wilhelm Heyne Verlag
GmbH & Co. KG, München
Umschlaggestaltung der deutschen Ausgabe: Norbert Härtl
Umschlagfoto: Sandra Lousada/Susan Griggs Agency
Satz: Kort Satz GmbH, München
Druck und Bindung: RMO, München
Printed in Germany
ISBN 3-453-05916-6

Inhalt

Einleitung

Man kann wohl ohne Übertreibung behaupten, daß der Abkömmling der Spezies Mensch die bemerkenswerteste Lebensform darstellt, die unser Planet je hervorgebracht hat.

Das Baby mag klein, verletzlich und der Sprache nicht mächtig sein, doch zum Ausgleich dafür weist es auf anderen Gebieten ganz erstaunliche Fähigkeiten auf. Da es im Laufe der Jahrmillionen der Evolutionsgeschichte darauf programmiert wurde, seine vernunftbegabten Eltern in ganz vernarrte Beschützer zu verwandeln, entwickelte es eine unwiderstehliche Anziehungskraft. Doch wie gut kennen wir eigentlich sein wahres Wesen?

Wieviel wissen wir wirklich über sein Verhalten und seine Reaktionen auf die Umwelt? Lassen wir uns nicht vielleicht manchmal von alten Traditionen irreleiten – von tiefverwurzelten Wertvorstellungen, die mehr über die Erwachsenen als über die Babys aussagen?

Es ist an der Zeit, hier einiges klarzustellen, den Schleier des Aberglaubens, der Modeerscheinungen und der Erwachsenenklischees zu lüften, um wieder einen ungetrübten Blick auf das Baby werfen zu können. Das ist aber gar nicht so leicht, denn Babys sind so niedlich, daß man nur schwerlich objektiv bleiben kann. Ein glucksendes Lächeln auf solch einem winzigen Gesicht, und schon ist selbst der hartgesottenste Wissenschaftler entwaffnet. Da bedarf es schon einiger Anstrengung, einen klaren Kopf zu bewahren – doch sollte einem das gelingen, kommen absolut faszinierende Tatsachen zum Vorschein, und die Babywelt erscheint plötzlich in einem ganz neuen interessanten Licht.

Nachdem ich viele Jahre lang das Verhalten erwachsener Menschen studiert habe, möchte ich mich in *Babywatching* nun ausschließlich mit den ersten zwölf Monaten des menschlichen Lebens beschäftigen, dem sogenannten Säuglingsalter, in dem Laufen und Sprechen noch keine Rolle spielen. Das Thema mag uns geläufig sein, doch ich habe versucht, den Part des objektiven Beobachters zu übernehmen und einen ganz neuen Ansatz zur Beantwortung der interessantesten und häufigsten Fragen zu entwickeln:

Warum ist es beispielsweise für Menschenbabys so schwierig, auf die Welt zu kommen, während andere Tierarten ihre Jungen so problemlos gebären? Und warum schreien sie soviel mehr als die Jungen anderer Gattungen? Wie gut können Babys sehen, hören, riechen und schmecken? Nach eingehenden Untersuchungen hat sich herausgestellt, daß sie sehr viel empfänglicher für Außenreize sind, als man bisher angenommen hat. Wie essen, schlafen, träumen, spielen und krabbeln sie? Warum weinen, lächeln und lachen sie ganz von allein? Wie intelligent sind sie eigentlich? Kann das Säuglingsalter verkürzt werden, oder entwickeln sich die Dinge nach einem festgelegten Zeitplan? Können schlafende Mütter ihre Babys tatsächlich am Geschrei erkennen? Und das Allerwichtigste: Wieviel Liebe und Trost braucht das Baby von seiner Mutter?

In der Vergangenheit haben viele Erwachsene Babys fälschlicherweise als ein »unbeschriebenes Blatt« betrachtet, das man beliebig beschriften könne, oder als kleinen, unempfindlichen Fleischklumpen, der kaum oder nur ganz rudimentär auf seine Umwelt reagiert. Ein viktorianischer Zeitgenosse faßte dieser überhebliche Sichtweise in folgendem Kommentar zusammen: »Hier haben wir ein Baby. Es besteht aus einem kahlen Kopf und einem Paar Lungen.« In ähnlichem Stil definierte ein unsensibler Priester Babys einmal als »ein lautes Geräusch am einen und kein Verantwortungsbewußtsein am anderen Ende«.

Heute wissen wir es besser. In Wirklichkeit reagiert das

Baby von Geburt an sehr intensiv auf seine Umwelt und verfügt über ganz erstaunliche Fähigkeiten, mit deren Hilfe es seine liebenden Eltern stimulieren und deren Verhalten kontrollieren und beeinflussen kann.

Einer weitverbreiteten Ansicht zum Trotz ist es fast unmöglich, Babys irgend etwas anzuerziehen. Während des gesamten Säuglingsalters reagieren sie kaum auf irgendwelche Bestrafungsversuche oder allzu rigide Eingriffe in ihren Lebensrhythmus. Falls ihre Eltern nicht mit unangemessenen Verhaltensmaßregeln indoktriniert wurden, werden sie diesem Schicksal entkommen können. Und so sollte es eigentlich auch sein, denn eine behütete Säuglingszeit bildet die Grundlage für ein erfolgreiches Erwachsenenleben. Zuviel Liebe kann man einem Baby gar nicht geben.

Babywatching ist der Versuch, die Welt nicht aus unserer Sicht, sondern aus der Sicht der Kinder zu betrachten. Je besser wir uns in ein Baby hineinversetzen können, desto größer sind unsere Chancen, gute Eltern zu werden. Das gilt für Väter genauso wie für Mütter, und wenn es in den folgenden Kapiteln den Anschein haben sollte, daß die Rolle des Vaters außer acht gelassen wurde, so liegt das einzig und allein daran, daß wir in der Vergangenheit einen Großteil unserer Informationen aus der Beobachtung des mütterlichen Verhaltens bezogen haben.

Babys bringen aber nicht nur viel Freude ins Haus, sie verkörpern auch unsere genetische Unsterblichkeit. Wenn wir ihnen die entsprechende Pflege angedeihen lassen, werden sie eines Tages unseren genetischen Fortschritt sichern. Da wir uns dieser Kontinuität mehr oder weniger alle bewußt sind, ist die Ankunft eines neuen Babys doch immer wieder ein beglückendes Ereignis, mag es uns auch noch so vertraut sein. Charles Dickens formulierte es einmal so: »Jedes Baby, das auf die Welt kommt, ist noch prachtvoller als das letzte.«

Bei dieser Gelegenheit muß ich mich dafür entschuldigen, daß ich das Baby während des ganzen Buches als »es« bezeichne. Einige Autoren verwenden »er« oder »sie«, doch beide Male wird jeweils die Hälfte aller Babys auf dieser Welt ausgeschlossen. In dieser Hinsicht ist unsere Sprache unvollkommen. Ein Schriftsteller versuchte es mit »si/er«, doch diese Lösung stach so unangenehm ins Auge, daß sie letztendlich nur Verwirrung stiftete. Deshalb habe ich mich für das eher unpersönliche »es« entschieden. Dadurch sollen die Babys jedoch keinesfalls beleidigt werden, was aus dem folgenden Text ganz sicher hervorgeht. Nach Beendigung dieses Buches empfinde ich sogar noch mehr Respekt und Bewunderung für dieses außergewöhnlichste aller Lebewesen... das Menschenbaby.

Wie kommen Babys auf die Welt?

Oft unter großen Schwierigkeiten, wie viele Frauen bestätigen können. Doch warum sollte die menschliche Geburt eine solche Strapaze sein, wenn so viele andere Tiere ihren Nachwuchs scheinbar so mühelos produzieren? Eine Giraffenmutter rast nicht per Krankenwagen zur Klinik, wenn die Geburt ihres 1,80 Meter großen Kalbes bevorsteht. Trotz seiner plumpen Gestalt gleitet das Giraffenbaby ganz einfach aus dem Körper seiner Mutter heraus, landet recht unsanft auf dem Boden und torkelt kurze Zeit später auf eigenen Füßen herum. Auch der Orang-Utan-Mutter stehen weder Ärzte noch Hebammen zur Seite, wenn ihr Baby in die Welt hinausdrängt. Die Mütter wirken erstaunlich entspannt, und die ganze Prozedur scheint eigentlich recht einfach zu sein. Wenn sich die gemeine Hauskatze in irgendein Versteck zurückzieht, um einen Wurf miauender Kätzchen zu gebären, erweckt sie nicht den Anschein, als werde sie von rasenden Schmerzen gepeinigt. Sie bringt eine Geburt nach der anderen hinter sich und erledigt ihre Aufgabe ganz ruhig und gelassen. Wie konnte es so weit kommen, daß sich die Geburt eines Menschenbabys zu einem solchen Drama entwickelte, bei dem ständige ärztliche Betreuung vonnöten ist? Ist unsere Gattung dem Geburtsvorgang vielleicht in irgendeiner Form nicht mehr gewachsen, und wenn ja, warum?

Es wird häufig argumentiert, daß die mannigfachen Geburtsschwierigkeiten daher rühren, daß die menschlichen Wesen als einzige Gattung ihr Leben lang auf den Hinterbeinen herumlaufen. Der aufrechte Gang bringt den weiblichen Beckengürtel sicherlich in arge Konflikte, denn er muß gleichzeitig als vertikales Fortbewegungsmittel und als Geburtskanal dienen. Das Baby muß sich durch einen Knochenring hindurchschieben, der zwangsläufig einen Kompromiß zwischen seinen zwei Hauptfunktionen darstellt. Doch obwohl dieser Umstand sicher mitverantwortlich dafür ist, daß sich die Geburt beim Menschen schwieriger gestaltet als bei anderen Arten, kann das nicht der einzige Grund sein, denn in früheren Zeiten kamen die werdenden Mütter ja auch ohne Schwangerenberatungsstellen, Kliniken, Medikamente, Betäubungsmittel und Geburtshelfer aus. In grauer Vorzeit mußte das Menschenweibchen seine Babys unter einfachsten Stammesbedingungen hervorbringen. Tausende und Abertausende von Jahren stand ihr keinerlei moderne Technologie zur Seite, um unserer Spezies zum Erfolg zu verhelfen. Und global gesehen hat sich dieser Erfolg ja durchaus eingestellt.

Wenn die Mütter früher ohne spezielle Hilfe auskamen, warum können sie es dann heute nicht mehr? Eine beliebte Antwort ist, daß die Stammesmütter den ganzen Tag lang »auf dem Feld« arbeiteten und ihr Körper dadurch muskulärer und stärker wurde, was ihnen wiederum zu einer leichteren Geburt verholfen habe. Wenn wir uns jedoch vor Augen führen, wie gut wir uns heute ernähren und wie fit sich die jungen Frauen halten, verliert diese Erklärung sehr an Überzeugungskraft. Sie mag eher für Epochen und Kulturen zutreffen, in denen die Frauen verweichlichten, weil ihnen jegliche körperliche Arbeit untersagt war, doch selbst in diesen Fällen ist es wohl kaum ein ernstzunehmendes Argument.

Wenn wir uns die Überlieferungen von Urgesellschaften und heute noch in entlegenen Gebieten der Welt lebenden Stammesgesellschaften anschauen, scheint es da zwei Hauptunterschiede zwischen ihrer leichten und unserer schmerzvollen Geburt zu geben. Diese Unterschiede betreffen den *Ort*, an dem die Mutter gebärt, und die *Stellung*, die sie dafür einnimmt. Wir haben diese zwei Aspekte der Entbindung abgewandelt und einer leichten Geburt damit unnatürliche Hindernisse in den Weg gestellt.

14

Das mag sonderbar klingen, doch schauen wir uns einmal die Fakten an. Die werdende Mutter einer Stammesgesellschaft gebärt an einem vertrauten Ort, umsorgt von guten Freundinnen. Sie wird nicht eilends in eine fremde und eher beängstigende Umgebung geschafft, wo sie von Unbekannten betreut wird. Die werdende Mutter unserer Tage ist zwar nicht krank, wird aber in ein Krankenhaus gebracht – an einen Ort, mit dem man automatisch Krankheit, Verletzung und Schmerz assoziiert. Dieser Transport in eine fremde Umgebung, die nichts Gutes ahnen läßt, macht ihr Angst. Eigentlich weiß sie, daß dort alles für sie getan wird, doch im Unterbewußtsein verspürt auch sie dieses Unwohlsein, das wir alle beim Anblick eines Krankenhauses empfinden.

Diese Angst hat bestimmte Auswirkungen auf sie, und um dies näher zu erläutern, wollen wir uns einmal das Verhalten anderer Weibchen vor der Niederkunft anschauen. Bei den Pferden kann die trächtige Stute den Moment der Geburt so lange hinauszögern, bis sie sich absolut sicher fühlt. Neun von zehn Fohlen werden mitten in der Nacht geboren. Das ist kein Zufall, denn die Stuten können selbst bestimmen, wann ihre Kontraktionen einsetzen. Sie warten und warten, bis sie ganz allein in einer ruhigen Umgebung sind. Erst dann gebären sie. Dieses Verhalten haben sie aber nicht etwa erlernt. Es ist ein angeborener Instinkt, der es der Mutter ermöglicht, in einem der verletzlichsten Momente ihres Lebens ganz für sich zu sein.

Menschen sind genau dem gleichen Mechanismus unterworfen. Ist die angehende Mutter verängstigt, so verzögert diese Gefühlslage automatisch ihre Wehen. Im Organismus der Mutter wird ein bestimmtes Hormon (Epinephrin) ausgeschüttet, das den Zeitpunkt der Geburt hinauszögert. Aus biologischer Sicht erfüllt dieser Aufschub natürlich den Zweck, daß die Mutter einen entspannteren, weniger beängstigenden Moment abwarten kann, bevor sie sich so ganz der Verletzlichkeit preisgibt. Unter primitiveren Bedingungen macht das ja auch durchaus Sinn. Es hilft der Mutter, Gefahren zu entgehen. Sie kann den Zeitpunkt der Geburt auf einen sichereren Moment verschieben. Doch für die moderne Frau bietet es keinerlei Vorteile mehr. Es gereicht ihr eher zum Nachteil. Und vor allem flößt ihr das Warten auf die Geburt nur noch mehr Angst ein, was dann wiederum die Geburt noch weiter hinauszögert. Es ist ein Teufelskreis, der vielen Gebärenden heutzutage eine viel längere Wehendauer aufbürdet, als es für unsere Spezies normal ist.

Das könnte vermieden werden, wenn die Mutter völlig entspannt wäre und das Gefühl hätte, »unter Freunden« zu sein. Je weniger Angst, desto weniger Schmerz. Wenn Mütter schon aus Gründen der Hygiene und der medizinischen Notfallversorgung zur Geburt in Entbindungskliniken eingeliefert werden, dann sollten diese Kliniken wenigstens so heimelig und freundlich wie möglich sein.

In letzter Zeit ist es in Mode gekommen, daß der Vater bei der Geburt anwesend ist. Auch wenn gewöhnlich behauptet wird, dies sei eine Rückkehr zu den »natürlichen« Bedingungen elterlicher Fürsorge, weil die Anwesenheit des Vaters die Familienbande enger zusammenschmiede, so muß der Wahrheit zuliebe doch hinzugefügt werden, daß in Ur- oder Stammesgesellschaften dem Vater bei der Geburt wohl nie eine besondere Bedeutung zukam. Die Geburtshelfer waren und sind fast immer ausschließlich weiblich. Frauen, die selbst schon einmal geboren haben, scheinen einen beruhigenderen Einfluß auszuüben als Männer. Ein »werdender« Vater ist vielleicht noch aufgeregter als die Mutter und könnte seine Ängste auf sie übertragen, wodurch er ihre Verfassung nur noch verschlimmern würde, anstatt sie zu verbessern. Andererseits ist der Vater heutzutage oft der einzige »Busenfreund«, den eine Frau noch hat, und wenn er seinerseits ruhig und gelassen ist, so kann er durchaus die richtige Atmosphäre des Vertrauens schaffen. Das ist natürlich individuell verschieden.

Aus diesem Argument ließe sich schließen, daß eine Hausgeburt besser wäre. Die Mutter würde sich wohler fühlen, es käme nicht zu angstbedingten chemischen Reaktionen in ihrem Körper, und die Geburt würde sich nicht verzögern. Das wäre sicherlich richtig, wenn man zu Hause für die notwendige Hygiene sorgen könnte und der Gebärenden Fachkräfte ihres Vertrauens zur Seite ständen. Doch den heutigen Frauen wurde so nachhaltig eingeimpft, daß nur das Krankenhaus eine sichere Geburt garantieren könne, daß das Zuhausebleiben an sich schon ein angstauslösender Faktor sein kann. Die werdende Mutter hat die Qual der Wahl zwischen zwei Alternativen, die beide Angst auslösen können: Das Krankenhaus ist fremd und steril, zu Hause fehlt es dafür an moderner Technologie. Da kann jede Mutter nur ganz individuell für sich entscheiden, wo sie sich am besten aufgehoben fühlt, damit der automatische »Schutzmechanismus« ihres Körpers, der das Baby trotz intensivster Bemühungen zurückhält, nicht zum Tragen kommt.

Neben der richtigen Umgebung spielt aber auch die richtige Stellung eine ausschlaggebende Rolle. Wenn wir einmal mehr die Ur- und Stammesgesellschaften zum Vergleich heranziehen, so wird deutlich, daß die Rückenlage nicht die bevorzugte Position ist. Und sie ist auch unlogisch, weil die Schwerkraft nicht ausgenutzt wird. Anstatt ihr Baby »herunterfallen« zu lassen, muß die Gebärende immer wieder zum »Pressen« aufgefordert werden. Ihr bleibt nichts anderes übrig, als das Kind horizontal hinauszuzwängen. Hier dominiert offensichtlich wieder der medizinische Aspekt, der bei einem »natürlichen« Ereignis eigentlich gar nichts zu suchen hat. Nachdem man die Schwangere in ein Krankenhaus eingeliefert hat, wird sie nun anscheinend auch wie eine Kranke behandelt. Sie wird ins Bett gepackt, wie eine Patientin, und medizinisch betreut, als wenn bei ihr irgend etwas nicht stimmen würde — dabei ist doch in Wirklichkeit alles wunderbar in Ordnung. Es sieht so aus, als würde diese Vorherrschaft der Medizin inzwischen als unvermeidbare Begleiterscheinung einer menschlichen Geburt akzeptiert, doch im Grunde genommen handelt es sich hier um eine reine Modeerscheinung.

Ein Blick auf die Geburtspositionen bei Ur- und Stammesgesellschaften läßt eindeutig erkennen, daß für unsere Spezies nicht die Rückenlage, sondern die Hockstellung naturgemäß ist. Schon die altägyptische Hieroglyphe für »Geburt« zeigt eine Frau in der Hocke; unterhalb ihres Körpers ist schon der Kopf des Babys zu sehen. In Altbabylon, in Griechenland und bei den präkolumbianischen Völkern Zentralamerikas kamen die Babys genauso zur Welt. Im alten Rom benutzte man spezielle Geburtsstühle. Diese Stühle hatten ausgeschnittene Sitzflächen, so daß das Baby unten herausgleiten konnte, während die Mutter sich an Griffen am Ende der Armlehnen festhielt. Diese Geburtsvorrichtung erfreute sich in Europa jahrhundertelang großer Beliebtheit und wurde mancherorts sogar noch bis zum Anfang des zwanzigsten Jahrhunderts benutzt.

In dieser Position geht die Geburt leichter vonstatten, was uns auch Anthropologen bestätigen, die erst kürzlich in Neuguinea und an anderen Orten der Welt detaillierte Studien zu diesem Thema durchgeführt haben. Aus ihren Beobachtungen an den wenigen noch verbliebenen Stammesgesellschaften, die noch nicht von fortschrittlichen Kulturen »zivilisiert« wurden, geht hervor, daß eine Geburt in der ursprünglichen Hockstellung wesentlich weniger anstrengt. Sicherlich gibt es auch da noch verzerrte Gesichter, Momente unvermeidbaren Unwohlseins oder auch Schmerzen, doch der ganze Prozeß läuft einfach schneller und effizienter ab.

Bei der Geburt unserer Babys sollten wir uns auf alte Weisheiten besinnen. Wenn die Mutter gesund ist und keine Komplikationen zu erwarten sind, können wir die Frage nach dem Geburtsort und der Geburtsposition ruhig noch einmal überdenken. Die Geburt ist ein natürlicher Vorgang, und bei der Planung sollten sowohl der biologische als auch der medizinische Aspekt gebührend berücksichtigt werden.

Warum schreien Babys nach der Geburt?

D en Eltern sei ihr Lächeln verziehen, wenn sie die ersten Schreie ihres Babys hören. Es signalisiert ihnen, daß der Neuankömmling lebt und atmet. Doch muß dieses Schreien wirklich sein? Bei jeder anderen Gelegenheit würde dieses Signal die Eltern beunruhigen, weil sie wüßten, daß ihr Baby sich nicht wohl fühlt oder Schmerzen hat. Ist die Freude über die ersten hörbaren Lebenszeichen ihres Sprößlings so groß, daß sie sich keine Sorgen mehr darum machen, ob das Baby vielleicht gerade panische Angst hat? Findet die allgemein anerkannte Geburtspraxis auch die Zustimmung des Babys?

Um diese Frage zu beantworten, müssen wir uns einmal vor Augen führen, womit das Baby konfrontiert ist, wenn es das Licht dieser Welt erblickt. Es kommt aus einer warmen, dunklen, ruhigen, weichen, allumfassenden und flüssigen Welt und findet das absolute Gegenteil vor. Das herkömmliche Krankenhaus ist hell erleuchtet − damit die Geburtshelfer deutlich sehen können, was passiert; es ist ziemlich laut, weil das Krankenhauspersonal der Mutter Mut zuspricht und sich auch untereinander unterhält; und das Baby verliert den Körperkontakt, wenn es nach der Geburt vom Arzt oder von der Hebamme gehalten und untersucht wird. Ein weiteres Ritual besteht darin, daß der Arzt dem Baby einen Klaps gibt, um durch den Schreireflex die Atmung in Gang zu setzen. Die allgegenwärtige Angst, das Baby könnte nicht schnell genug anfangen zu atmen, läßt Ungeduld aufkommen und erzwingt die Reaktion des Babys durch eine bewußt grobe Behandlung. Auch andere Dinge, wie das Durchtrennen und Abklemmen der Nabelschnur, das Wiegen und Untersuchen des Kindes, das Waschen und das Anziehen, dürfen als Teil dieses medizinischen Standardprogramms unverzüglich vorgenommen werden.

Ebenso wie das elterliche Lächeln beim ersten Schrei ist auch diese Krankenhausroutine nur allzu verständlich. Das Hauptanliegen des medizinischen Personals besteht eben darin, daß bei der Geburt nichts schiefgeht und die Eltern am Ende ein physisch intaktes, gesundes Baby im Arm halten. Das kann diesen Betreuern niemand verdenken, doch inzwischen muß man sich fragen, ob sie in ihrem eifrigen Bemühen um physisches Wohlergehen nicht vielleicht zu weit gegangen sind und das vollkommen gesunde Neugeborene wie einen Patienten behandeln. In seltenen Fällen, wenn ernsthafte medizinische Probleme auftauchen, ist dieses schnelle, geschäftige Vorgehen natürlich gerechtfertigt, doch heutzutage weiß man zumeist schon vorher, ob eine Risikogeburt ins Haus steht. Die Warnsignale lassen sich oft schon während der Vorsorgeuntersuchungen erkennen, und darauf kann man sich dann ja einstellen. Doch in der überwiegenden Mehrheit der Fälle, wenn Mutter und Kind physisch stark, gesund und normal sind, sollte die Geburt sanfter und ruhiger angegangen werden, damit das Baby bei seiner ersten Begegnung mit der Außenwelt sowenig wie möglich traumatisiert wird.

Wie soll diese sanftere Methode nun aussehen? Das Neugeborene sollte sich langsam an seine neue Umgebung gewöhnen dürfen, damit es die unvermeidbaren Schockerlebnisse, die bei der Konfrontation mit der Außenwelt auftreten, schrittweise verarbeiten kann, nicht wie bisher in einer einzigen dramatischen Explosion von neuartigen Reizen. Die Neugeborenen selbst weisen uns mit ihrem Verhalten den Weg zur Erreichung dieser Ziele, ohne daß dabei die medizinische Sicherheit aufs Spiel gesetzt würde.

Zuerst einmal ist es nicht notwendig, daß das Baby bei seiner Ankunft in der neuen Welt lautstark und mit Instrumentengeklapper empfangen wird. Wenn die Geburt komplikationslos verläuft, kann es im Entbindungszimmer vollkommen ruhig bleiben, damit sich die Babyohren langsam an den Lärm der Außenwelt gewöhnen können.

Zweitens kann die grelle Beleuchtung des typischen Kreißsaals ohne ernsthaftes Risiko beträchtlich gedämpft werden, vor allem, wenn das Baby seine Reise durch den Geburtskanal schon erfolgreich hinter sich gebracht hat. Anstatt die Augen in dem grellen Licht zusammenkneifen zu müssen, könnte es sich dann ganz allmählich an diesen vollkommen neuen Sinnesreiz gewöhnen.

Drittens kann die Panik, die das Baby beim Verlust des Körperkontaktes empfindet, erheblich vermindert werden, wenn man ihm die Möglichkeit gibt, gleich nach der Geburt in direktem Kontakt mit dem Körper seiner Mutter zu bleiben. Es würde also nicht fern von der Mutter in die Luft gehalten, sondern sanft auf ihren Bauch gelegt — der jetzt angenehm hohl ist — und könnte dort in Ruhe auf warmer, weicher Haut liegen bleiben. Zur gleichen Zeit kann es von Erwachsenenhänden, die es behaglich an den Körper der Mutter drücken, gehalten und umarmt werden. Zu Anfang können dies die Hände des Arztes oder der Hebamme sein, später kann die Mutter diese Aufgabe selbst übernehmen und zum erstenmal den winzigen Körper ihres Babys spüren. So wäre der Übergang vom totalen Kontakt zum Kontaktverlust für das Neugeborene ein allmählicher Prozeß und kein plötzlicher Schock.

Fortschrittliche Ärzte, die nach dieser sanfteren Methode entbinden, erleben sehr viel weniger Panikreaktionen bei ihren Neugeborenen. Da gibt es keine schreienden, verzerrten Gesichter. Die Neuankömmlinge liegen ruhig und friedlich in den Armen ihrer Mutter und erholen sich erst einmal von ihrer anstrengenden Reise. Sie sind vielleicht nicht vollkommen still, aber anstelle des herkömmlichen langanhaltenden Gebrülls geben sie nur ein paar kurze Schreie von sich, wenn sie den Geburtskanal verlassen. Diese Schreie ergeben sich zwangsläufig aus der plötzlichen Ausdehnung ihrer kleinen Lungen, wenn sie die Enge der Vagina hinter sich lassen. Kurz zuvor war ihr Brustkorb noch zusammengepreßt — und nun kann er sich plötzlich ausdehnen: Dadurch sind der hereinströmenden Luft Tür und Tor geöffnet. Die darauffolgende Ausatmung verursacht dann den kurzen Schrei, doch wenn das Neugeborene den Körperkontakt zur Mutter nicht verliert und sanft auf ihren Bauch gelegt wird, beruhigt es sich sehr schnell und schreit nicht mehr.

Dann folgt ein Moment der Ruhe und des Friedens für Mutter und Kind. Anstatt nun übereilte medizinische Schritte einzuleiten — Durchtrennen der Nabelschnur, Waschen, Wiegen und Anziehen des Neugeborenen —, läßt man das Baby in den Armen seiner Mutter, damit es sich an seine neue Umgebung gewöhnen kann. Zu diesem Zeitpunkt ist wirklich keine Eile geboten. Nach einer normalen Geburt pulsiert die Nabelschnur noch mehrere Minuten lang weiter und versorgt das Kind über den Umweg der Mutter mit dem lebensnotwendigen Sauerstoff. Währenddessen fängt das Baby langsam an, mit seinen eigenen Lungen zu atmen und ersetzt so Schritt für Schritt das alte System durch das neue. Ein voreiliges Durchtrennen der Nabelschnur hilft dem Baby überhaupt nicht, sondern zwingt es nur, extrem schnell zur Lungenatmung überzugehen, wodurch das Neugeborene wieder einmal unnötig unter Streß gesetzt wird. Beim allmählichen Übergang hingegen bestimmt das Baby — und nicht das Krankenhauspersonal —, wann die Lungenatmung einsetzen soll.

Das Waschen, Wiegen und Ankleiden des Säuglings kann ruhig noch warten, denn der Körper des Babys ist von einer Fettschicht umhüllt, die seine zarte und äußerst empfindliche Haut bestens schützt, und der Kontakt mit dem weichen Bauch und den Händen seiner Mutter ist natürlich wesentlich angenehmer als die Berührung mit Handtüchern und Kleidung. Auch hier bietet der allmähliche Übergang Vorteile für das Baby und gibt ihm Zeit, sich langsam umzugewöhnen.

Auch mit der Mutter geschieht etwas ganz Wichtiges in diesem Moment. Das Baby wird ihr nicht mehr gleich nach der Geburt weggenommen, sondern auf ihren Bauch gelegt, so daß sie es nach dem überwältigenden Geburtserlebnis unter ihren Händen spüren und sich ganz einfach an seiner Anwesenheit freuen kann. Das ist ein absoluter Höhepunkt, um den die übereifrigen Helfer sie nicht betrügen sollten — man könnte es sonst als *partus interruptus* bezeichnen. Eine normale Geburt ist keine Operation, sondern ein Ereignis von höchster biologischer Bedeutung, bei dem die Medizin — Notfälle einmal ausgenommen — immer nur eine untergeordnete Rolle spielen sollte.

In friedlicher Atmosphäre und bei sanftem Licht kann die Mutter sich in aller Ruhe mit der Existenz ihres Babys anfreunden. Wenn dann für die Mutter und auch für das Kind der Geburtsschock vorbei ist, kann man zur üblichen Krankenhausroutine übergehen. Doch zuvor kann man das Baby ruhig schon einmal sanft zur Mutterbrust hinaufschieben, wo es gleich anfangen kann zu saugen. So gibt man auch der Mutter Gelegenheit, ihren kleinen Neuankömmling einmal genau anzuschauen und ihn dabei in den Armen zu wiegen. Dadurch wird die Mutter-Kind-Bindung verstärkt, und es ist sicherlich auch kein Zufall, daß die durchschnittliche Nabelschnur gerade so lang ist, daß das Neugeborene an den Busen angelegt werden kann, während es noch mit der Plazenta verbunden ist.

Sofern die Geburt nicht über die Maßen anstrengend war, sind Mutter und Kind in der Zeit danach hellwach. In der ersten Lebensstunde des Babys sind seine Augen fast ständig geöffnet, und diesen Blickkontakt nach der Geburt sollte jede Mutter uneingeschränkt genießen dürfen. Erst dann ist die Zeit für das erste Bad gekommen, wobei man auch hier darauf achten sollte, daß das Baby so schnell wie möglich in die Arme seiner Mutter zurückkehren kann. Im herkömmlichen Krankenhaus wurde das Baby meist in eine weit entfernt liegende Säuglingsstation gebracht, wo die Bettchen in langen Reihen nebeneinander standen. Dann wurden die Babys alle vier Stunden zu ihren Müttern gebracht, um regelmäßig und ganz nach Vorschrift gefüttert zu werden. Das war vollkommen unnatürlich, und eine Stammesmutter (oder eine Schimpansin) hätte sich das bestimmt nicht gefallen lassen. Sofern eine Mutter nicht krank oder anderweitig ernsthaft verhindert ist, sollte sie in diesen ersten Tagen sowenig wie möglich von ihrem Kind getrennt sein.

Man könnte einwenden, hier wolle wieder einmal nur ein Romantiker »zurück zur Natur«, und mit dem Wohlergehen heutiger Kinder habe das herzlich wenig zu tun. Doch die Tatsachen sprechen dagegen. In den siebziger Jahren wurden detaillierte Studien über Neugeborene und ihre Mütter erstellt. Die eine Gruppe der Mütter war der üblichen Krankenhausroutine unterworfen, die andere Gruppe bekam fünf Baby-Schmuse-Stunden zusätzlich pro Tag. Nachdem sie alle aus dem Krankenhaus entlassen waren, wurde ihr Verhalten weiter beobachtet. Vier Wochen nach dem dreitägigen Krankenhausaufenthalt gingen die »Schmusemütter« zärtlicher mit ihren Babys um als die »Routine-Mütter«. Beim Füttern umarmten sie ihre Babys gefühlvoller und pflegten auch mehr Blickkontakt zu ihrem Nachwuchs. Ein Jahr nach dem dreitägigen Krankenhausaufenthalt waren immer noch einige Unterschiede festzustellen: Die »Schmusemütter« zeigten mehr Nähe und Beschützerqualitäten, sobald ihre Kinder ihnen Unbehagen oder Schmerz signalisierten.

Ein längerer Kontakt während der ersten entscheidenden Tage der Mutterschaft ist für die Eltern-Kind-Bindung sicherlich von großer Bedeutung. Es wäre jedoch vermessen zu behaupten, daß er lebenswichtig sei. Viele Babys überleben auch sehr gut ohne diesen Kontakt, doch wenn es einer Mutter völlig problemlos ermöglicht werden kann, scheint es geradezu unsinnig, dies einer alten Krankenhaustradition zuliebe nicht zu tun.

Einige französische Ärzte gehen bei der »natürlichen« Geburt inzwischen schon ins Extrem: Es ist fast hundertprozentig dunkel und ruhig im Geburtszimmer, und dem Neugeborenen werden ganz sanft und ehrfurchtsvoll die Hände aufgelegt. In puncto Ruhe und Wohlbefinden des Babys wurden damit auch spektakuläre Ergebnisse erzielt, doch wenn dieser Prozeß zu weit getrieben wird, kann eine neue Art von Panik aufkommen. Die schon beinahe zu friedliche Atmosphäre ließ nun nämlich einige Mütter unruhig werden. Sie waren so sehr auf Lärm, Hast und Instrumentengeklapper im Geburtszimmer eingestellt, daß sie befürchteten, es sei eine Katastrophe passiert und ihre allzu ruhigen Babys müßten wohl tot oder am Sterben sein. Das sind die Auswirkungen einer Konditionierung, die durch mehrere Generationen hindurch aufgebaut wurde. In einigen Fällen war es ziemlich schwierig, die Mütter davon zu überzeugen, daß sich ihre Babys ganz normal und natürlich verhielten. Es ist selbstverständlich wenig sinnvoll, den Prozeß so weit voranzutreiben, daß man die Angst nur vom Baby auf die Mutter abwälzt. Beide sollten so ruhig wie möglich sein, damit sich das Wunder dieser frühen Mutter-Kind-Bindung voll entfalten kann. Als Lösung bietet sich ein sorgfältig ausbalancierter Kompromiß an, der die Erwartungen der Mutter mit den sanfteren Methoden der »biologischen Geburt« verbindet.

Die Anwesenheit des Vaters während oder nach der Geburt hat einen ähnlichen »Bonding«-Effekt. Wenn die Väter sich die Zeit nehmen, ihr Baby in der ersten Stunde nach der Geburt zu halten, zu liebkosen und zu wiegen, haben sie später auch ein innigeres Verhältnis zu ihm. Es ist kein Zufall, daß die Menschenbabys nach der Geburt ungefähr eine Stunde lang wach bleiben, bevor sie dann in einen langen, tiefen Schlaf versinken. So aufnahmebereit wie in dieser Wachphase sind sie dann tagelang nicht mehr, und vielleicht dient dieses hohe Maß an Wachsamkeit ganz speziell der Entfaltung einer intensiven Eltern-Kind-Beziehung. In dieser einen Stunde übt das Baby nämlich eine ungeheure Anziehungskraft auf seine

Eltern aus, die ihrerseits in dieser emotionalen Ausnahme-
situation äußerst empfänglich dafür sind. Diese wirkungsvolle
Kombination scheint die Liebe fest in der Familie zu ver-
ankern.

Warum haben Neugeborene eine Fettschicht auf der Haut?

Wenn das Menschenbaby frisch aus dem Mutterleib schlüpft, erinnert es auf den ersten Blick an einen Kanalschwimmer. Beiden gemeinsam ist eine dicke, weißliche Fettschicht, die fast wie ein Teigmantel aussieht. Bei den Kanalschwimmern dient diese Fettschicht der Wärmeisolierung. Beim Baby könnte sie nach der Geburt eine ähnliche Funktion erfüllen, denn diese Umhüllung schützt das Neugeborene vor eventuellem Temperaturabfall in der Außenwelt. Hauptsächlich dient diese Fettschicht jedoch als Gleitmittel während der Geburt.

In der Sprache der Mediziner heißt dieser Fettmantel *vernix caseosa,* was wörtlich übersetzt »Käseschmiere« bedeutet. Es ist eine Mischung aus abgestorbenen Hautpartikeln und öligen Absonderungen der Talgdrüsen. Diese mit Haarfollikeln verbundenen Drüsen werden in den letzten Schwangerschaftsmonaten ungewöhnlich aktiv, so daß der gesamte Körper des Babys zum Zeitpunkt der Geburt von einer glitschigen Schicht umhüllt ist, die ihm die Passage durch den engen Geburtskanal erleichtert. Ohne »Käseschmiere« wäre die Geburt nahezu unmöglich.

Einer weiteren Theorie zufolge könnte diese Vernix auch verhindern, daß die Haut des ungeborenen Babys im Fruchtwasser aufquillt. Doch in diesem Fall muß man sich fragen, warum sie dann erst in den letzten Wochen der neunmonatigen Schwangerschaft voll entwickelt ist. Der Zeitpunkt ihrer Entstehung läßt doch stark darauf schließen, daß die Gleitmittel-Theorie stimmt.

Ebenso berechtigt erscheint die Annahme, daß die Fett-

27

schicht in den verletzlichen ersten Lebenstagen quasi als Begleiteffekt auch vor kleineren Hautinfektionen schützt. Aus diesem Grunde wird sie manchmal auch nicht entfernt, da sie zudem zwei oder drei Tage nach der Geburt von selbst abfällt. Doch vielen Müttern widerstrebt die Vorstellung von einem Baby im »Sahnekäsemantel«. Sie drängen darauf, daß das Neugeborene so schnell wie möglich gewaschen wird. Und in den meisten Kliniken werden die Säuglinge auch tatsächlich gleich nach der Geburt gebadet und dann behutsam in weiche, warme Kleider gesteckt. Da bei heutigen Geburten im allgemeinen ein Höchstmaß an Hygiene herrscht, besteht nur ein minimales Risiko, durch das Abwaschen der »Käseschmiere« die Infektionsanfälligkeit des Neugeborenen zu erhöhen.

Wann heilt der Nabel ab?

Die Nabelschnur, die das Baby mit dem Körper seiner Mutter verbindet, wird etwa bis zur 28. Schwangerschaftswoche immer länger. Dann wächst sie, unabhängig von der erreichten Länge, nicht mehr weiter. Überraschenderweise variiert die Länge von Fall zu Fall beträchtlich, und niemand weiß, warum. In diesem Punkt weisen die Neugeborenen vielleicht die größten Unterschiede auf. Eine »normale« Nabelschnur kann kümmerliche 18 cm oder auch stattliche 122 cm lang sein. Der Durchschnitt liegt bei 51 cm. Die Körpermaße der Mutter und ihres Babys sind dabei völlig unerheblich. Lediglich das Geschlecht des Babys scheint Einfluß auf die Länge der Nabelschnur zu haben. Aus unerfindlichen Gründen sind die Nabelschnüre männlicher Babys im Durchschnitt 5 cm länger als die weiblicher Babys.

Auch nach der Geburt pulsiert die Nabelschnur noch weiter. Das Blut wird mit einer Geschwindigkeit von 6,4 Stundenkilometern durch eine große Vene und zwei Arterien gepumpt und versorgt so das Baby mit allen notwendigen Nährstoffen und Sauerstoff. Wenn der Pulsschlag dann etwa fünf Minuten nach der Geburt aufhört, wird die Nabelschnur an zwei Stellen abgeklemmt und durchtrennt. Der Stummel, der am Bauch des Babys hängenbleibt, ist für gewöhnlich etwa 5 bis 8 cm lang, wobei 1 bis 2 cm vom Körper entfernt noch einmal eine Plastikklammer angebracht wird, die dort bleibt, bis der Stummel eintrocknet, verkümmert und schließlich abfällt. Bei der Geburt ist die Nabelschnur eigenartig blau und weiß, doch wenn sie dann eintrocknet, wird sie immer dunkler und schließlich schwarz. Das dauert nur wenige Stunden. Bis der Stummel abfällt, vergehen dann aber noch fünf bis zehn Tage.

Danach verbleibt dann nur noch ein »Rohnabel«, der an der Luft sehr schnell hart wird. Zu diesem Zeitpunkt steht der Nabel noch ein wenig vor — bei manchen Babys sogar extrem stark —, doch mit der Zeit flacht er dann immer mehr ab. Selbst ein leichter Nabelbruch (nichts Ungewöhnliches) stellt kein ernsthaftes Risiko dar. Es kann allerdings mehrere Monate dauern, bis er verschwindet.

Das Baby empfindet dabei zu keiner Zeit irgendwelche Schmerzen. Es ist einfach der natürliche Übergang vom gebundenen in den entbundenen Zustand. Die Mutter kann dazu eigentlich nur wenig beitragen und sollte den Nabel »schön in Ruhe lassen«. Vergessen wir nicht, daß der Nabel in alten Zeiten ja auch nicht mit Verband oder Heftpflaster zugeklebt wurde, sondern einfach an der Luft abheilte. Er muß sauber und vor allem trocken sein, denn Nässe oder Feuchtigkeit können den natürlichen Austrocknungsprozeß behindern. Am besten läßt man den Nabel also möglichst oft unbedeckt, um der Natur freien Lauf zu lassen.

Man könnte nun meinen, das Durchtrennen der Nabelschnur wenige Minuten nach der Geburt sei ein guter alter Brauch aus vergangenen Zeiten, doch tatsächlich ist er erst wenige hundert Jahre alt. Vorher wartete man zumeist noch die Nachgeburt — das Ausstoßen der Plazenta — ab. Erst kürzlich erlebte diese frühere Methode in Ungarn aus einem ganz bestimmten Grund eine Renaissance. Ungarische Ärzte hatten darauf hingewiesen, daß sich das Blut des Babys zum Zeitpunkt der Geburt teilweise noch in der Nabelschnur und im Gewebe der Plazenta befindet. Wenn man also die Nachgeburt abwarte, könne man dem Baby eine Extraration Blut mit auf den Weg geben. Bei der ungarischen Methode bleibt das Baby auf dem Bauch seiner Mutter liegen, bis nach etwa 15 bis 30 Minuten die Plazenta herauskommt. Diese wird dann in eine Schüssel gelegt und oberhalb vom Baby hoch in die Luft gehalten. So kann das Blut aus dem Plazentagewebe in die Nabelschnur und von dort in den Kreislauf des Babys abfließen.

Dadurch kann die Blutmenge des Babys um sage und schreibe 25 Prozent erhöht werden, was ihm natürlich zusätzliche Energie für sein neues Leben liefert. Aber so weit braucht man noch nicht einmal zu gehen, denn man kann die Blutmenge des Babys allein schon dadurch beträchtlich erhöhen, daß man die fünf Minuten, die die Nabelschnur nach der Geburt noch pulsiert, abwartet, anstatt gleich zur Schere zu greifen.

Ein letzter Aspekt zum Schicksal der Nabelschnur soll nicht unerwähnt bleiben. Heutzutage werfen wir sie einfach zu den »Krankenhausabfällen«, doch auch hier handelt es sich um eine relativ neue Sitte. In Stammesgesellschaften hielt man die Nabelschnur in großen Ehren, weil man ihr vielerlei magische Kräfte zusprach. Oft wurde sie feierlich als Medizin verspeist, vergraben, als Schmuck getragen oder in einen Baum gelegt. In manchen Stämmen wurde sie als Amulett getragen, in anderen Kulturen manchmal auch sorgfältig in den Familienarchiven aufbewahrt, um sie ihrem Besitzer/ihrer Besitzerin später mit ins Grab legen zu können. Heutzutage haben wir da eine sehr viel nüchternere Einstellung und werfen sie einfach weg, wenn sie ausgedient hat.

Warum gähnen Babys nach der Geburt?

Wenn alles ganz natürlich abläuft, kann man das Baby kurz nach der Geburt ein paarmal herzhaft gähnen sehen. Man könnte meinen, es sei ganz einfach müde von der strapaziösen Geburt, doch das ist nicht der wahre Grund. Das tiefe Gähnen der Neugeborenen ist eine Reflexhandlung, durch die den Lungen ausreichend Sauerstoff zugeführt werden soll – eine unabdingbare Voraussetzung für den Start ins eigene Leben.

Doch bei der heutigen Krankenhausroutine kommen die meisten Babys gar nicht mehr zum Gähnen. Wenn die Geburt unter Streß steht und das Baby so behandelt wird, daß es lauthals zu schreien anfangen muß, bleibt das Geburtsgähnen aus. Wird die Geburt hingegen in aller Ruhe angegangen und die Nabelschnur auch erst nach einigen Minuten durchtrennt, so hat das Baby die Möglichkeit, nach eigenem Gutdünken mit der Atmung zu beginnen und dabei herzhaft zu gähnen. Während das Baby über die Nabelschnur noch ausreichend lange mit dem sauerstoffangereicherten Blut seiner Mutter versorgt wird, setzt plötzlich ganz von allein dieser Atmungs- und Gähnprozeß ein. Doch in dem eifrigen Bestreben, das Geburtsdrama genauestens zu überwachen, ist vielen Beteiligten die Geduld abhanden gekommen. Die Angst davor, daß das Baby vielleicht gar nicht anfangen könnte zu atmen, ist so groß, daß der ganze Ablauf beschleunigt wird und das Baby sein Atmungssystem schneller in Betrieb nehmen muß als von Natur aus vorgesehen.

Wenn die Geburtshelfer jedoch Ruhe bewahren oder die Geburt unter »primitiveren«, weniger klinischen Bedingungen stattfindet, so ist das Neugeborenen-Gähnen noch sehr häufig zu beobachten. Von daher stammt im übrigen ein ganz eigenartiger Brauch, den die meisten von uns auch im Erwachsenenalter noch pflegen: die Hand vor den Mund zu halten, wenn wir gähnen. Heutzutage gehört es für uns einfach zum guten Benehmen, doch wir wissen eigentlich gar nicht genau, warum. Bei anderen Gelegenheiten, wenn es nicht als schlechtes Benehmen gilt, stellen wir unseren geöffneten Mund ja auch ungeniert zur Schau. Warum sollte es also ausgerechnet beim Gähnen anders sein?

Des Rätsels Lösung liegt darin, daß man das Neugeborenen-Gähnen fälschlicherweise mit der hohen Säuglingssterblichkeit in Verbindung brachte. Es braucht wohl nicht betont zu werden, daß die Kindersterblichkeit nichts mit dem Gähnen nach der Geburt zu tun hat — ganz im Gegenteil —, doch vor vielen hundert Jahren trieb der Aberglaube recht eigenartige Blüten. Man glaubte, daß ein Teil der Seele aus dem Babykörper entschwinden könne, wenn die Neugeborenen beim Gähnen ihren Mund so weit öffneten, und dadurch würden sie dann so geschwächt, daß sie bald darauf sterben müßten. Und tatsächlich starben so viele Babys innerhalb der ersten Tage und Wochen (vor allem aufgrund der schlechten hygienischen Verhältnisse und anderer schädlicher Geburtspraktiken), daß die Menschen natürlich nach einer Erklärung suchten. Verschonte diese Erklärung dann auch noch diejenigen, die für die schlechten hygienischen Bedingungen und den frühen Tod vieler Babys verantwortlich waren, so war sie um so willkommener. Da bot sich das Neugeborenen-Gähnen geradezu an. Im alten Rom wurde den Müttern geraten, ihre Babys aufmerksam zu beobachten und ihnen beim geringsten Ansatz zum Gähnen sofort die Hand vor den Mund zu halten, damit die kindliche Seele durch diese gefährliche Betätigung nicht fortwährend »geschwächt« würde.

Sobald das Kind dann selbst die Hand vor den Mund halten konnte, wurde es dazu angeleitet, und dieser Brauch setzte sich dann bis ins Erwachsenenalter und schließlich bis in unsere Zeit fort.

Wenn wir also heutzutage beim Gähnen unseren Mund bedecken, versuchen wir — ohne es zu wissen —, nach altem Brauch unsere Seele davor zu sichern, daß sie aus unserem Körper entweicht. Was wir als pure Höflichkeit betrachten, entspringt in Wirklichkeit einem primitiven Aberglauben.

Warum kommen manche Babys behaart zur Welt?

Manche Babys sind bei der Geburt fast am ganzen Körper von einem weichen Flaum bedeckt. Der frischgebackenen Mutter kann dieser Anblick einen ganz schönen Schreck einjagen: Was sie da zur Welt gebracht hat, ist ja gar nicht das langersehnte Prachtbaby, sondern ein behaartes kleines Äffchen. Doch tatsächlich besteht natürlich keinerlei Anlaß zur Sorge. Die Mutter wird lediglich Augenzeugin einer etwas hinausgezögerten Fötalphase, die bald darauf zu Ende geht, normalerweise schon nach ein paar Tagen. In Ausnahmefällen dauert es auch schon einmal bis zu vier Monaten, doch früher oder später verschwindet der Flaum ganz sicher, und darunter kommt dann die glatte, nackte Haut zum Vorschein, die sich jede Mutter wünscht.

Dabei ist diese recht selten auftretende Körperbehaarung bei Neugeborenen wirklich kein Grund, sich voller Ekel oder Schrecken abzuwenden, denn die Chance, einmal einen flüchtigen Blick darauf zu werfen, wie *alle* Babys in den letzten Schwangerschaftswochen aussehen, bekommt man nicht alle Tage geboten. Während der letzten Monate im Mutterleib haben nämlich alle Babys solch einen Wollhaarflaum. Er heißt *Lanugo*, was wörtlich übersetzt Wolle bedeutet. Ursprünglich benutzte man dieses Wort für den Flaum von Pfirsichen, doch dann wurde es auch für die Humanmedizin entlehnt. Die Lanugobehaarung des Fötus tritt frühestens im fünften, normalerweise aber erst im sechsten Schwangerschaftsmonat auf. Im siebten Monat fängt sie schon wieder an zu verschwinden, und im achten Monat ist sie kaum noch zu sehen. Bei manchen Babys hält sie sich noch bis zum neunten Monat und verschwindet erst kurz vor der Geburt. In ganz wenigen Ausnahmefällen überdauert sie auch noch die Geburt und versetzt die armen Eltern dann oft in Angst und Schrecken.

Bei manchen Babys findet sich diese Lanugobehaarung nur an bestimmten Körperteilen, zumeist an den Schultern und auf dem Rücken. Bei anderen sind auch die Wangen und die Ohren behaart, und in seltenen Fällen ist der ganze Körper, ausgenommen die Handflächen und Fußsohlen, mit Flaum bedeckt. Diese Ausnahmen sind bemerkenswert, denn auch bei behaarten Säugetieren sind dies oft die einzigen Körperpartien mit nackter Haut. Die Lanugobehaarung ist also mit anderen Worten eine vorübergehende Erinnerung an unsere Urahnen. Dadurch bestätigt sich, was Biologen schon seit Jahren glauben, nämlich daß die Menschen sich aus behaarten Säugetieren entwickelt haben und ins große Evolutionsschema der Primaten passen. Und dessen brauchen wir uns keineswegs zu schämen. Wir sollten stolz auf unsere Vorfahren aus dem Tierreich sein, denn unsere tierischen Eigenschaften gehören noch mit zu den lobenswertesten. Unsere schlechtesten Merkmale finden sich bei den rein menschlichen Eigenschaften.

Wie stehen nun die Chancen, ein behaartes Baby zu bekommen? Sehr schlecht, es sei denn, es handelt sich um eine Frühgeburt, denn zu früh geborene Babys kommen ja in einem Stadium zur Welt, in dem die Lanugobehaarung bei den meisten Babys noch zur normalen Ausstattung gehört. Gewisse Ausnahmebedingungen erhöhen ebenfalls die Chancen, ein behaartes Baby zu bekommen. Bei Kortikoidmedikation, Schilddrüsenunterfunktion und gravierender Mangelernährung des Fötus ist es wahrscheinlicher, daß Neugeborene mit ihrer seidenweichen, flaumigen, wolligen Lanugobehaarung auf die Welt kommen.

Eine mögliche Erklärung für das Erscheinen der Lanugo ist, daß der plötzliche Haarwuchs zeitlich mit der Bildung der Käseschmiere, der *vernix caseosa,* einhergehen könnte. Normalerweise erscheint in den letzten Schwangerschaftsmonaten zuerst die Lanugo und dann die Fettschicht. Das Fett wird von den Talgdrüsen produziert, die mit den Haarfollikeln verbunden sind. Wenn diese Drüsen nun also aktiver werden, könnte es gut sein, daß sie automatisch auch die Haarfollikel mitaktivieren, die dann ihrerseits den wolligen Flaum hervorbringen. Nach getaner Arbeit verschwindet der Wollflaum dann kurz vor der Geburt wieder und hinterläßt nur die Fettschicht als höchst effizientes Gleitmittel für die Geburt.

Was sagt die Statistik zum Thema Babys?

Obwohl Babys schon bei der Geburt große Unterschiede aufweisen, wollen wir uns einmal anschauen, welche Durchschnittswerte für den Sprößling der Spezies Mensch gelten.

Das typische Baby wird nach einer Schwangerschaftsdauer von 240 bis 293 Tagen geboren. Bei kürzerer Dauer ist es eine Frühgeburt, bei längerer eine Übertragung. Die Zeitspanne zwischen Befruchtung und Geburt beträgt im Durchschnitt 266 Tage. Die lange Wartezeit bis zur Ankunft des Babys wird auch gern anhand der Menstruation berechnet: 280 Tage nach Beginn der letzten Periode — was sehr oft zutreffend ist.

Aus unerfindlichen Gründen bleiben weibliche Babys durchschnittlich einen Tag länger im Mutterleib als männliche. Und weiße Babys verbringen durchschnittlich fünf Tage länger im Bauch ihrer Mutter als schwarze. In Indien dauern Schwangerschaften statistisch gesehen sogar noch länger, denn indische Babys bleiben im Schnitt sechs Tage länger im Bauch als typische weiße Babys. Diese Unterschiede sind rein rassisch bedingt und haben nichts mit der Größe des Babys oder dem materiellen Wohlergehen der jeweiligen Familie zu tun. Bis heute ist niemand in der Lage, diese rätselhaften Unterschiede zu erklären.

Wenn die Mutter 18 bis 30 Jahre alt ist, hat das Baby die größten Chancen, die Schwangerschaft zu überleben und ohne Komplikationen auf die Welt zu kommen. Aus der Sicht des Neugeborenen wäre es ideal, wenn seine Mutter zum Zeitpunkt der Geburt 22 Jahre alt wäre, denn das ist das fruchtbarste Alter für menschliche Weibchen, und das Risiko einer Fehlgeburt ist dann am geringsten: 12 zu 1000. Im Alter von 45 Jahren liegt die Vergleichszahl bereits bei 47 zu 1000.

Die älteste Frau, die jemals ein lebendes Baby zur Welt gebracht hat, war 57 Jahre alt. Das ist allerdings sehr ungewöhnlich, da mit 51 normalerweise die Menopause beginnt.

Bei der Geburt wiegt das Menschenbaby im Durchschnitt 3500 Gramm. Da gibt es natürlich große Unterschiede, doch nur 5 Prozent aller Neugeborenen fallen aus der Spanne von 2500 bis 4250 Gramm heraus. Männliche Babys wiegen im Schnitt 200 Gramm mehr als weibliche. Während der ersten drei Lebenstage geht das Geburtsgewicht geringfügig um etwa ein Zehntel zurück. Das ist völlig normal im Zuge der Anpassung an das Leben in der Außenwelt. Nach einer weiteren Woche hat das Baby den Gewichtsverlust wieder aufgeholt, und dann beginnt der langandauernde Wachstumsprozeß. In den ersten vier Wochen nach der Geburt nimmt das Baby durchschnittlich 225 Gramm pro Woche zu. Im Alter von fünf Monaten hat es dann sein Geburtsgewicht verdoppelt, und gegen Ende der Babyzeit, im Alter von einem Jahr, ist es schließlich dreimal so schwer wie bei der Geburt.

Die durchschnittliche Größe des Neugeborenen beträgt etwas weniger als ein Drittel der Erwachsenengröße. Der Mittelwert liegt bei 51 cm, wobei auch hier nur 5 Prozent aller Babys nicht innerhalb des Normbereiches von 46 – 56 cm liegen. Gegen Ende der Babyzeit, mit zwölf Monaten, wird das Baby 25 – 30 cm größer sein.

Das menschliche Gehirn, das im Vergleich zu Tieren ohnehin schon riesig ist, wird in den ersten zwölf Monaten außerhalb des Mutterleibes mehr als doppelt so schwer. Das Gehirn eines Neugeborenen wiegt ein Viertel von dem eines Erwachsenen, doch schon gegen Ende des ersten Lebensjahres beträgt dieser Wert 60 Prozent.

Bei der Geburt ist der Kopf im Vergleich zum übrigen Körper enorm groß. 25 Prozent der gesamten Körperlänge macht allein der Kopf aus. Mit zunehmendem Alter nimmt dieser

Prozentsatz dann immer mehr ab, und wenn der Wachstumsprozeß schließlich abgeschlossen ist, macht der Kopf nur noch ein Achtel der Gesamtkörperlänge aus.

Das Herz eines Neugeborenen wiegt weniger als 28 Gramm, doch schon gegen Ende des ersten Jahres ist es 45 Gramm schwer. Der Pulsschlag beträgt in den ersten Lebenswochen durchschnittlich 140 Schläge pro Minute und fällt gegen Ende des ersten Jahres auf einen Wert von 115 ab. Zum Zeitpunkt der Geburt ist er außergewöhnlich hoch — 180 Schläge pro Minute —, doch innerhalb weniger Stunden verlangsamt er sich dann beträchtlich.

Bei der überwiegenden Mehrheit (98 Prozent) der Jungen sind die Hoden bei der Geburt bereits vollständig aus dem Körper ausgetreten, und bei den übrigen Babys geschieht dies fast immer in den ersten vier Lebenswochen.

Chemisch gesehen besteht der Körper eines Neugeborenen aus etwa 70 Prozent Wasser, 16 Prozent Fett, 11 Prozent Protein und 1 Prozent Kohlehydraten.

Warum haben Babys Fontanellen?

Wir betrachten den harten, knochigen Schädel der Spezies Mensch gemeinhin als wertvollen Schutzpanzer für das empfindliche Gehirn – ein biologischer Sturzhelm sozusagen. Doch warum ist dann der Schädel eines Neugeborenen so weich? Wenn man bedenkt, daß Neugeborene ein schwaches Genick und einen plumpen Körper haben, erscheint ein stabiler Sturzhelm um so notwendiger, doch es sieht so aus, als ob das junge Menschenhirn gerade in dieser verletzlichsten Zeit am wenigsten geschützt wäre.

Der Grund liegt unzählige tausend Jahre zurück, als unsere Spezies zur aufrechten Haltung überging. Als sich das Menschenweibchen auf die Hinterbeine stellte und anfing, auf zwei Füßen zu laufen, mußte sich sein Becken den neuen Gegebenheiten anpassen. Es sollte wie bisher für die Geburt taugen, darüber hinaus aber auch dem aufrechten Gang dienen. Als Endresultat blieb dem Baby für seinen Weg auf die Welt nur noch ein ziemlich enger Geburtskanal, und um diese Reise erfolgreich überstehen zu können, mußte es wohl oder übel eine stromlinienförmige Gestalt annehmen. Ein breiter, fester Schädel wäre eine zu stumpfe Vorderkante für diesen Exodus aus dem Mutterleib gewesen, der ja bekanntlich mit dem Kopf zuerst angetreten wird. Also mußte die Konstruktion dahingehend geändert werden, daß die Schädelpartie spitzer zulief. Doch wie sollte das gehen? Erstens mußten die im Wachstum befindlichen Schädelknochen weicher und biegsamer werden. Zweitens mußte die ehemals zusammenhängende Knochenkugel in mehrere getrennte Platten unterteilt werden. Und drittens mußten diese Platten sich gegeneinander verschieben und bei Bedarf sogar übereinander schieben können.

41

Diese besonderen Eigenschaften verliehen dem Neugeborenen für seine Reise durch die enge Vagina eine schlankere, flexiblere Gestalt, die sich leichter in die Welt hinauspressen ließ. Die Knochenplatten des Schädels konnten sich dank ihrer weichen Kanten übereinander schieben, und so bekam der Kopf kurzfristig eine spitzere Form als normal. Manche Mütter sind schockiert, wenn sie mit dem Ergebnis dieser hervorragenden Konstruktionsidee konfrontiert sind und nach der Geburt ein Baby mit schiefem oder länglichem Schädel in den Armen halten. Sie denken sofort an Krankheiten oder Mißbildungen, doch ihre Ängste sind vollkommen unbegründet. Innerhalb weniger Tage kann der Schädel seine Form und Symmetrie wiederherstellen. Schlimmstenfalls dauert dieser Prozeß einige Wochen, wobei die Zeit von der Enge des Vaginaltraktes und eventuellen Komplikationen bei der Geburt abhängt. Bei Erstgebärenden treten diese Schädelverformungen am häufigsten auf. Mit jeder weiteren Geburt stellt sich das Problem dann weniger, weil der Druck auf den Kopf des Babys nachläßt.

Bei der Konstruktion des kindlichen Kopfes wurde also der leichteren Geburt der Vorrang vor der Schutzfunktion eingeräumt. Der eigentliche Sturzhelm mußte warten, bis das Kind älter wurde, und der Schutz des Säuglings in den ersten Wochen und Monaten fiel in den Verantwortungsbereich der Mutter. Doch in Anbetracht einer solchen Flexibilität galten für den jungen Schädel ganz spezielle Wachstumsregeln, die seiner einzigartigen Form angepaßt waren.

Der Schädel eines Neugeborenen besteht aus mehreren gekrümmten Platten, wobei membranöse Zwischenräume die Kanten voneinander fernhalten. Diese Knochenlücken machen es möglich, daß sich der Kopf während der Austreibungsperiode verformen kann. Sie sind mit weichem, aber sehr robustem Gewebe gefüllt. An sechs Punkten werden die Lücken zwischen den Knochen breiter und bilden größere Weichstellen, sogenannte *Fontanellen*. Diesen Namen, der wörtlich übersetzt »kleine Quellen« bedeutet, erhielten sie, weil sie so weich sind, daß man meinen könnte, im nächsten Augenblick würde eine Flüssigkeit daraus hervorsprudeln. Dementsprechend geschockt reagiert dann auch die frischgebackene Mutter, wenn sie zum erstenmal eine dieser scheinbar so empfindlichen Weichstellen am Kopf ihres Babys ertastet. Doch auch hier sind ihre Ängste völlig unbegründet. Das Membrangewebe, das die Fontanellen abdeckt, ist extrem kräftig und widerstandsfähig und könnte nur durch einen heftigen, gezielten Schlag verletzt werden.

Die sechs Fontanellen haben nicht alle die gleiche Größe. Es gibt zwei große und vier kleinere. Die zwei großen befinden sich oben auf dem Kopf: die vordere Fontanelle genau oberhalb der Stirn, und die hintere Fontanelle am rückwärtigen Ende der Kopfoberfläche. Die vordere ist die größere von beiden, wobei die Größe jedoch sehr unterschiedlich sein kann. Manchmal ist sie nicht größer als die sanft drückende Fingerspitze der Mutter. Sie kann aber auch einen Durchmesser von 2,5 – 5 cm aufweisen. Sie hat in etwa die Form eines Rhombus, obwohl sie sich beim vorsichtigen Tasten eher kreisförmig anfühlt. Die etwas kleinere hintere Fontanelle ist dreieckig.

Die vier kleineren Weichstellen sind die zwei vorderen Seitenfontanellen und die zwei hinteren. Sie liegen unterhalb der Schläfen und an den beiden unteren Seiten des hinteren Schädels.

Manche Mütter meinen, der Schädel ihres Babys sei defekt, wenn sie in der größten, der vorderen Fontanelle oberhalb der Stirn den Pulsschlag sehen können. Dieses Pulsieren ist jedoch ganz normal. Beunruhigender ist es, wenn die Weichstelle eingefallen oder gewölbt ist. Die Aushöhlung würde bedeuten, daß das Baby Fieber hat oder dehydriert ist und schnellstens etwas trinken muß. Das kommt manchmal in sehr heißen Klimazonen und auch bei bestimmten Krankheiten vor. Ist die Fontanelle hingegen stark konvex, so muß ein ernsthaftes Problem vorliegen – , doch das kommt extrem selten vor.

Während der ersten zwei Monate nach der Geburt vergrößern sich die Fontanellen noch ein wenig, weil der Schädel anfängt zu wachsen. Dabei beginnt das Fasergewebe zwischen den Knochenplatten langsam zu verhärten und zu verknöchern. Die Knochenkanten rücken einander näher, bis sie sich in gewellten Linien berühren, die wie Stücke eines menschlichen Puzzles zusammenpassen. Diese gewellten Linien, auch Nähte genannt, werden immer stärker aneinanderzementiert, während der Kopf zusehends härter und kräftiger wird. Im Laufe der Monate werden die Fontanellen dann immer kleiner und verschwinden schließlich ganz. Der Sturzhelm ist perfekt. Er muß jedoch noch weiterwachsen und tut dies auch, indem er an der Schädelaußenseite immer neue Knochenschichten bildet und an der Innenseite dafür wieder abbaut. Dieser Prozeß setzt sich durch die ganze Kindheit hindurch fort, und in der Jugend ist dann schon fast die Erwachsenengröße erreicht. Im Alter von etwa 25 Jahren ist dann das gesamte Knochenwachstum des jungen Menschen abgeschlossen.

Wie lange es dauert, bis die Fontanellen zuwachsen, ist von Kind zu Kind sehr unterschiedlich. Manchmal sind es nur vier Monate, manchmal aber auch vier Jahre. Die große, vordere Fontanelle oberhalb der Stirn braucht für gewöhnlich am längsten, meist 18 bis 24 Monate. Die hintere und die kleinen Seitenfontanellen schließen sich normalerweise schon vor Ablauf des ersten Lebensjahres, manchmal sogar innerhalb weniger Monate. Ob die Fontanellen früh oder spät zuwachsen, hat dabei allerdings keine besondere Bedeutung. Und die Eltern brauchen im Umgang mit diesen scheinbar so verletzlichen Weichstellen auch keine übertriebene Vorsicht walten zu lassen. Die Membranen über diesen Knochenlücken sind ausgesprochen robust und widerstandsfähig, und normales Waschen und Rubbeln an diesen Stellen verursacht keine Schäden.

Weiteren Anlaß zur Sorge haben die Eltern oft, wenn die junge Mutter feststellt, daß der Kopf ihres Babys auf der einen Seite flacher ist als auf der anderen, manchmal noch Monate nach der Geburt. Das kommt zwar nicht sehr häufig vor, doch es gibt immer wieder Kinder, bei denen man dieses Phänomen beobachten kann. Es rührt daher, daß das Baby in den ersten Lebensmonaten immer auf derselben Seite schläft. Während dieser Zeit sind die Knochen des Kopfes nämlich noch erstaunlich biegsam, auch wenn die Fontanellen schon zuwachsen, und wenn das Baby immer in derselben Stellung schläft, kann die »Unterseite« abflachen. Dadurch bekommt es einen asymmetrischen Kopf, der zuweilen auch als »Parallelogramm-Schädel« bezeichnet wird. Manchmal gelingt der Versuch, den Säugling andersherum schlafen zu legen, doch Babys sind sehr wohl in der Lage, die Ruhestellung zu ändern und sich unbeirrbar wieder in ihre alte, die Lieblingsposition zurückzudrehen, sobald man sie allein läßt. Doch auch in diesem Fall brauchen sich die Eltern keine Sorgen zu machen, denn zu guter Letzt wird die Abflachung wieder verschwinden, selbst wenn sie sich zwischenzeitlich noch verstärkt haben sollte. Im Alter von zwei oder drei Jahren wird der Kopf dann fast vollkommen symmetrisch sein. Falls keine größeren Unfälle dazwischenkommen, verbringen wir den Rest unseres Lebens dann recht ausgeglichen.

Warum haben Babys so große Pupillen?

Wenn man den Körper als Ganzes betrachtet, hat ein Baby nicht nur relativ größere Augen als ein Erwachsener, sondern auch weitere Pupillen. Das ist ein spezielles Merkmal der Babys und hat auch eine besondere Bedeutung, denn dadurch übt das Baby eine stärkere Anziehungskraft auf seine Eltern aus, was wiederum seine Chancen erhöht, gestreichelt und liebevoll behandelt zu werden.

Um zu verstehen, warum große Pupillen jeden Betrachter in ihren Bann schlagen, muß man wissen, wie sie funktionieren. Die Pupille — der schwarze Punkt mitten im Auge — öffnet und schließt sich, um den Lichteinfall zu regeln. Bei gedämpftem Licht weitet sie sich zu einer großen schwarzen Scheibe, und bei hellem Licht zieht sie sich auf Nadelstichgröße zusammen. Sie funktioniert im großen und ganzen wie die Linse einer Kamera. Doch sie reagiert nicht nur auf die Intensität einer Lichtquelle, sondern auch auf Gefühlszustände. Wenn die Augen etwas erblicken, was ihnen gefällt, so weitet sich die Pupille ein wenig mehr, als man es bei dem jeweiligen Lichteinfall erwarten würde. Wenn sie hingegen etwas Unangenehmes erblicken, so ziehen sie sich über Gebühr zusammen. Diese emotionale Reaktion ist vollkommen unwillkürlich. Sie entzieht sich unserem Bewußtsein und läßt sich auch nicht kontrollieren — nur andere Leute können sie wahrnehmen. Doch auch die Reaktion des Betrachters ist unbewußt.

Zeigt man einem Mann zwei Bilder von einer attraktiven Frau, und beide Bilder sind bis auf die Pupillen völlig identisch, so wird er das Foto mit den größeren Pupillen ansprechender finden. Die Logik ist ganz einfach. Wenn sich eine Frau gefühlsmäßig von einem Mann angezogen fühlt, weiten sich ihre Pupillen. Da eine Person, die den Betrachter anziehend findet, natürlich attraktiver ist als jemand, der keine positive Reaktion zeigt, sind große Pupillen an sich schon ein Attraktivitätsmerkmal. Ein Mann, der eine Frau mit großen schwarzen Pupillen anschaut, mag sie, *weil* sie ihn mag. All dies geschieht völlig unbewußt, und wenn zwei Menschen sich tief in die Augen schauen, blitzt die gefühlsmäßige Akzeptanz (oder Zurückweisung) zwischen den Augenpaaren hin und her.

Solche Signale beiderseitigen Gefallens erwecken in dem Paar den Wunsch nach mehr Intimität und Nähe, das Verlangen, einander zu berühren und zu umarmen. Das gilt nicht nur für frisch Verliebte, sondern auch für Mütter und ihre Babys. Die Mutter kann das Kind hochnehmen, wann immer es ihr beliebt − die körperlichen Ausdrucksmöglichkeiten des Babys hingegen sind sehr beschränkt. Es möchte im Arm gehalten und gestreichelt werden und seine Mutter immer in der Nähe haben, doch um diese Intimität zu erreichen, fehlt ihm einfach die Muskelkraft. Da kommen ihm seine großen Pupillen zu Hilfe. Sie geben ständig und automatisch lockende Signale ab, denen Eltern nur schwerlich widerstehen können.

Wenn sich die Mutter ihrem Baby nähert, findet das Kind so großen Gefallen an dem, was es sieht, daß sich seine ohnehin schon großen Pupillen noch mehr weiten. Die Mutter reagiert darauf mit verstärkten Zärtlichkeitsgefühlen − Liebe und Herzlichkeit wallen in ihr auf, und sie hat das dringende Verlangen, ihr Baby in den Arm zu nehmen und zu liebkosen. Auf diese Weise kann das Baby Einfluß auf seine Mutter nehmen.

Es ist wichtig, daß die Mutter diese Pupillensignale deutlich erkennen kann, und das ist eher möglich, wenn die Iris um die Pupille herum möglichst hell ist. Bei einer dunkelbraunen Iris sind die Veränderungen weniger auffällig, woraus sich der Schluß ziehen läßt, daß möglichst viele Babys blaue Augen haben müßten, und genau das ist auch der Fall. Dies gilt allerdings nicht für dunkelhäutige Babys, die ursprünglich aus den sonnendurchfluteten Tropen stammen, wo eine starke Pigmentierung wichtiger ist als alles andere. Doch bei weißen Babys stimmt die Theorie.

Interessanterweise werden aus diesen »babyblauen« Augen dann im Laufe der Zeit fast immer dunklere oder braune Augen. Die zusätzliche Anziehungskraft wird nur benötigt, solange das Kind dringend auf den elterlichen Schutz angewiesen ist. Danach kann die Iris ruhig dunkler werden, denn der junge Erwachsene hat zwischenzeitlich gelernt, auf sich selbst aufzupassen. Deshalb haben fast alle weißen Babys blaue Augen und später als Erwachsene dunklere Augen. Dabei vollzieht sich der Wandel nur ganz allmählich. Mit sechs Monaten wird das strahlende Babyblau schon ein wenig »schmuddelig«, und die Eltern können damit rechnen, daß ihr Sprößling eines Tages braunäugig wird. Sind die Augen in diesem Alter jedoch noch ganz klar und blau, dann bedeutet das fast immer, daß es auch für den Rest des Lebens so bleiben wird und dem Kind die besonderen Vorteile der Blauäugigkeit beschert sind.

Wann kommen die ersten Zähne?

Manchmal kommt es vor, daß ein neugeborenes Baby, sehr zur Überraschung seiner Mutter, von Geburt an einen Milchzahn besitzt. Und die Mütter haben auch allen Grund, überrascht zu sein, nicht etwa, weil mit ihrem Baby irgend etwas nicht in Ordnung wäre, sondern weil es sich dabei um ein sehr seltenes Ereignis handelt. Nur eines von zweitausend Babys kommt mit einem Zahn zur Welt. Alle anderen haben den wohlbekannten zahnlosen Gummimund, der ihnen auch noch mindestens einige Monate lang erhalten bleibt.

Diese verfrühten Zähne nennt man *Geburtszähne*, und gewöhnlich besitzt das Baby nur einen davon, nur in ganz seltenen Fällen sind Babys sogar schon mit zwei Zähnen zur Welt gekommen. Dabei handelt es sich um die mittleren Schneidezähne des Unterkiefers, und meistens sind sie nicht sehr fest im Zahnfleisch verankert, wodurch sie sich ziemlich frei bewegen können. Insofern verursachen sie beim Saugen an der Brust weniger Probleme, als man vielleicht annehmen könnte. Durch die Saugbewegung werden sie ins Zahnfleisch zurückgedrückt und können die empfindliche Brustwarze folglich nicht verletzen.

Manchmal werden Geburtszähne auch gezogen, aber das ist nur selten notwendig, und am besten läßt man sie ganz in Ruhe. Im Laufe der Zeit werden dann ganz normale Milchzähne daraus. Werden sie hingegen gezogen, so entsteht eine Lücke im kindlichen Gebiß, bis dann im Alter von ungefähr sechs Jahren die richtigen Zähne nachwachsen.

In manchen Kulturen betrachtet man diese Zähne mit großem Argwohn, als wären sie ein Zeichen des Teufels. In einigen Teilen Afrikas haben Babys, die unglücklicherweise mit einem Zahn zur Welt kommen, zwangsläufig mit dem Tod zu rechnen, weil man das Böse, das sie angeblich in die Welt hinaustragen, ausmerzen will. Es versteht sich von selbst, daß ein Neugeborenes mit einem Zahn ansonsten in jeder Hinsicht völlig normal ist – nur eine Besonderheit darf dabei nicht unerwähnt bleiben. Einige der mächtigsten Männer dieser Welt besaßen schon von Geburt an einen Zahn: Zu ihnen gehörten Julius Caesar, Hannibal, Ludwig XIV. von Frankreich, Napoleon, Richelieu und, wenn wir Shakespeare Glauben schenken dürfen, auch Richard III. von England. Wenn man bedenkt, wie extrem selten solche Zähne vorkommen, ist diese Auflistung schon recht bemerkenswert, doch manche Eltern mag es beruhigen, daß es auch schon sehr viele Babys mit Geburtszähnen gegeben hat, die keinerlei Ambitionen zeigten, die Welt zu regieren. Heute das Kinderzimmer, morgen...

Bei den meisten Babys brechen die Milchzähne erst im Alter von etwa sechs Monaten durch. Der genaue Zeitpunkt ist von Kind zu Kind sehr verschieden, wobei ein Zeitraum von vier bis vierzehn Monaten als »normal« gilt. Meistens erscheinen sie zwischen dem sechsten und dem neunten Lebensmonat. Zuerst kommen die mittleren Schneidezähne im Unterkiefer, dann die mittleren Schneidezähne im Oberkiefer, dann die zweiten Schneidezähne unten und dann die zweiten Schneidezähne oben, doch diese Reihenfolge ist nicht im geringsten festgelegt. Manchmal erscheinen zuerst alle mittleren Schneidezähne zusammen und dann alle zweiten Schneidezähne zusammen. Oder es brechen zuerst alle unteren Schneidezähne durch und dann erst die oberen.

Normalerweise brauchen die Schneidezähne ungefähr sechs Monate zum Durchbrechen und stehen dann im Alter von einem Jahr voll und ganz zur Verfügung. Es gibt aber auch Spätentwickler unter den Babys, die mit einem Jahr noch gar keine Zähne haben. Bei einem geschenkten Gaul kann man das Alter vielleicht durch einen Blick ins Maul feststellen, doch bei Menschenbabys ist die Sache nicht so einfach. Aufgrund der vorhandenen Zähne läßt sich das Alter eines Babys jedenfalls nur schlecht beurteilen.

Im zweiten Lebensjahr, wenn die Babyzeit vorüber ist, brechen die Backenzähne (oder Molaren) und die Eckzähne durch, und manche Kinder sind in dieser Zeit aufgrund der damit verbundenen Schmerzen ungewöhnlich gereizt und mißmutig. Dagegen war das Zahnen in der Babyzeit ein Kinderspiel.

Die kleinen Milchzähne haben mehrere Namen. Im Fachjargon heißen sie abfallende Zähne, weil sie — ähnlich wie Blätter von Laubbäumen — im Laufe der Kindheit aus dem Mund fallen, um für die richtigen, größeren Zähne Platz zu schaffen. Man bezeichnet sie auch als Babyzähne oder erste Zähne. Es sind zwanzig an der Zahl, und sie bilden sich schon sehr früh unter dem Zahnfleisch des Babys. Schon beim sechs Wochen alten Fötus sind sie als winzige heranwachsende Zahnknospen vorhanden. Zwischen der 16. und der 20. Schwangerschaftswoche beginnen diese Knospen zu verkalken und bereiten sich so auf den Durchbruch und ihre eigentliche Funktion vor.

Bezüglich der Milchzähne gibt es einen geringfügigen Unterschied zwischen den Geschlechtern. Bei den weiblichen Babys brechen die Zähne etwas früher durch als bei den Jungen, doch dafür verlieren die Jungen ihre Milchzähne ein bißchen eher als die Mädchen. Warum die Mädchen ihre Milchzähne länger behalten als die Jungen wird wohl immer ein Geheimnis bleiben.

Wie stark sind neugeborene Babys?

Neugeborene sind in fast jeder Hinsicht körperlich schwach, nur ein Körperteil verfügt überraschenderweise über unglaublich viel Kraft: Die kleinen Finger sind von Geburt an mit einem kraftvollen *Greifreflex* ausgestattet, und der Griff ist so stark, daß sie sich an den Zeigefingern ihrer Eltern festklammern und freischwebend hängen können. Für ein Baby, das so verletzlich und hilflos wirkt, ist das eine außerordentliche gymnastische Leistung.

Hier ist allerdings eine gewisse Vorsicht geboten. Man sollte der Versuchung, diese doch recht ungewöhnliche körperliche Leistungsfähigkeit zu testen, nur nachgeben, wenn das Baby ein sehr weiches Bett unter sich hat, auf das es notfalls herunterfallen kann. Diese Vorsichtsmaßnahme ist notwendig, weil der angeborene Greifreflex bei manchen Babys sehr schnell verschwindet und nach wenigen Tagen vielleicht schon nicht mehr stark genug ist, das Körpergewicht zu tragen. Ein Baby, das heute noch an den Fingern hängen kann, fällt morgen vielleicht schon herunter.

Die »Lebensdauer« des Greifreflexes ist recht merkwürdig. Er ist schon in einem sehr frühen Stadium der Schwangerschaft klinisch nachweisbar und wird mit zunehmender Größe des Fötus im Mutterleib immer stärker. Am ausgeprägtesten ist er direkt nach der Geburt, und zu diesem Zeitpunkt läßt sich auch das Hängen am Finger am besten demonstrieren, weil das Baby noch nicht zu schwer ist. Wenn das Baby dann größer wird, ist selbst der stärkste Greifreflex eines Tages nicht mehr in der Lage, das Körpergewicht des Kindes zu tragen. Der Greifreflex verliert in der Folge an Bedeutung, das Baby wird immer schwerer, der Reflex immer schwächer, und langsam verliert das Baby die Fähigkeit, sich mit seinen Fingern irgendwo festzuklammern. Bei einigen Babys bleibt dieser Reflex länger erhalten, und sie können noch im Alter von zwei Monaten an den Fingern hochgehoben werden. Spätestens mit sechs Monaten aber verschwindet der Greifreflex endgültig. Dann tritt eine kleine Pause ein, bevor die nächste große Entwicklungsstufe im Leben des Babys beginnt: das gezielte Greifen, das ganz bewußt zur Erkundung der Umwelt eingesetzt werden kann.

Dieses »fortgeschrittene« Greifen ist nicht etwa eine Weiterentwicklung des früheren, instinktiven Greifens, sondern ein ganz neues Verhaltensmuster, das sich erst manifestieren kann, wenn die frühere, primitivere Erscheinungsform verschwunden ist. Der Greifreflex des Neugeborenen funktioniert ganz automatisch und wird vom ältesten Teil des Gehirns gesteuert. Derartige Reflexe und viele andere instinktive Verhaltensweisen, die am neugeborenen Menschen zu beobachten sind, fangen alle an zu verblassen, bevor die komplizierteren Teile des Gehirns (das »neue Gehirn«) die Steuerung des kindlichen Verhaltens übernehmen. Die neue Form des Greifens ist veränderlich und kontrollierbar. Das Kind kann damit experimentieren und ständig neue Varianten ausprobieren. Im Alter von etwa sieben bis acht Monaten macht es dann auch die wunderbare Entdeckung, daß man kleine Gegenstände ergreifen und dann fallen lassen oder wegwerfen kann. Für die Eltern wird das Aufheben der am Boden liegenden Gegenstände zur Sisyphusarbeit, dem experimentierfreudigen Kind hingegen bereitet es großen Spaß.

Das bewußte Greifen stellt zwar einen enormen Fortschritt dar, doch in gewisser Hinsicht ist es auch ein Verlust, denn sein eigenes Gewicht kann das Kind durch kontrolliertes Greifen nicht mehr tragen. Diese Fähigkeit erlangt es erst im Alter von ungefähr zwei Jahren wieder. Zumindest in diesem Punkt ist das Neugeborene also im Vergleich zum Einjährigen olympiareif.

Diese erstaunliche Fähigkeit des Neugeborenen hat schon vielen Eltern Kopfzerbrechen bereitet. Welchen Nutzen kann ein Menschenbaby daraus ziehen? Tatsächlich ist sie heutzutage nur von geringer Bedeutung. Sie erinnert uns lediglich an unsere gar nicht so weit zurückliegende evolutionsgeschichtliche Verwandtschaft mit den Affen. Jedes neugeborene Äffchen kann sich von Geburt an fest anklammern, und es wurde sogar schon beobachtet, daß junge Affen sich bereits bei der Geburt am Fell der Mutter festklammerten, als sie noch gar nicht ganz aus dem Mutterleib herausgeschlüpft waren. Alle Affenmütter verfügen über ein dickes Fell, an dem sich die Neugeborenen mit aller Kraft festklammern können. Die Umklammerung ist so fest, daß sie noch nicht einmal herunterfallen, wenn ihre Mütter in den Bäumen herumspringen, sich von Ast zu Ast schwingen oder auf dem Boden herumtollen. Ein Relikt dieses Primaten-Klammerreflexes findet sich auch bei unserem Nachwuchs wieder. Bei anderen Arten überdauert er als Langzeitreflex von großer Bedeutung. Bei unserer Spezies hingegen kann er sehr schnell verschwinden, weil er nicht mehr gebraucht wird.

Um den Greifreflex zu demonstrieren, muß man den Zeigefinger sanft, aber bestimmt in die Handfläche des Neugeborenen hineindrücken. Es wird daraufhin den Finger eng umschließen. Interessanterweise wird die Umklammerung sogar noch fester, wenn das Baby dabei saugen darf, wodurch deutlich wird, daß das Klammern untrennbar mit dem Füttern verbunden ist. Auch das ist eine von den Affen ererbte Eigenschaft.

Berührt der Erwachsene hingegen den Handrücken statt der Handfläche, so tritt der gegenteilige Effekt ein — die Hand öffnet sich, anstatt sich zu schließen.

Affenbabys klammern sich sowohl mit den Händen als auch mit den Füßen an ihrer Mutter fest. Erstaunlicherweise zeigt auch das menschliche Neugeborene noch eindeutige Überreste dieses Fußklammerns unserer Vorfahren, obwohl sich unsere

Fußform sehr stark zugunsten des zweifüßigen Laufens verändert hat. Drückt ein Elternteil seinen Zeigefinger gegen die Fußsohle (ohne dabei den restlichen Fuß zu berühren), so kann er beobachten, wie sich die kleinen Zehen krümmen und angestrengt versuchen, den Finger zu umklammern. Auch wenn dieses Experiment nicht gerade von Erfolg gekrönt ist, so erinnert doch allein der Umklammerungsversuch daran, wie eng wir immer noch mit unseren Primatenvettern verwandt sind.

Wie gut können Babys sehen?

Es heißt, die Sehkraft der Babys sei nur schwach entwickelt und ineffizient, doch das ist absolut nicht der Fall. Das Sehvermögen von Neugeborenen ist ihren besonderen Bedürfnissen bestens angepaßt. Die Evolution hat das menschliche Baby mit eben der Sehkraft ausgestattet, die ihm angesichts seiner körperlichen Voraussetzungen angemessen ist.

Schauen wir uns einmal die Tatsachen an: Bei der Geburt ist der Druck, der während der Reise durch den engen Geburtskanal ausgeübt wird, nicht gerade vorteilhaft für die Augen. Deshalb erscheinen sie nach der Entbindung oft aufgedunsen, geschwollen und gerötet. Doch das legt sich schon nach ein paar Tagen, und am Ende halten wir ein wunderschönes Baby mit strahlenden Augen im Arm, das voller Interesse seine Umgebung mustert. Wenn es in die Ferne schaut, erscheint alles verschwommen, weil die Augen sich noch nicht auf einen weit entfernten Punkt einstellen lassen. Beim Blick in die Ferne funktionieren sie nicht gleichmäßig, und es kann passieren, daß das eine Auge in eine völlig andere Richtung schaut als das andere. Doch diese mangelhafte Koordinierung der Augen beim Blick in die Ferne ist kein Alarmsignal. Eltern, die befürchten, ihr Kind könne später einmal schielen, brauchen sich keinerlei Sorgen zu machen, es sei denn, dieser Zustand hält länger als sechs Wochen an. So lange dauert es nämlich, bis sich das binokulare Sehen entwickelt hat, und auch die Augenmuskeln, die den Augapfel bewegen und die wechselnden Blickrichtungen koordinieren, haben erst nach sechs Wochen die notwendige Kraft.

Bei beringen Entfernungen stellt sich die Situation jedoch

ganz anders dar. Auf eine Distanz von 18 – 30 cm ist das Neugeborene sehr wohl in der Lage, seine Augen auf ein Objekt vor seinem Gesicht einzustellen und zu konzentrieren. Und es zeigt auch schon gewisse Vorlieben. Auf Objekte, die sich bewegen, reagiert es stärker als auf alles Statische. Es mag runde Formen lieber als gerade, geometrische. Es ist empfänglich für Muster und bevorzugt große, hell erleuchtete Gegenstände. Welcher Schluß läßt sich daraus ziehen? Für das neugeborene Baby stellt dieses Sehvermögen ein Maximum am Effizienz dar. Die verschwommene Weitsicht hält viele angsteinflößende Eindrücke von ihm fern. Da das Kind physisch gesehen mehr oder weniger hilflos ist, braucht es nicht zu wissen, was weit entfernt von seinem Körper passiert. Die selige Unwissenheit von fernen Dingen verschafft ihm angenehme Ruhe und Zufriedenheit. Andererseits ist es aber ungemein wichtig, daß das Baby die Anwesenheit seiner Beschützerin, der Mutter, wahrnehmen kann. Da das Baby große, runde und deutlich sichtbare Formen in Bewegung bevorzugt und seine Augen auch auf solche Formen einstellen kann, ist es optimal ausgestattet, um auf das mütterliche Gesicht in seiner Nähe zu reagieren.

Das Baby sieht also alles, was notwendig ist, und wird nicht mit Dingen behelligt, die in den ersten Lebenstagen völlig unbedeutend sind. Es könnte gar nicht besser sein. Die althergebrachte Vorstellung, Babys seien fast blind und könnten nur zwischen hell und dunkel unterscheiden, ist vollkommen falsch. Jeder, der sich nur ein wenig mit den Jungen verschiedener Tierarten beschäftigt, wird schnell begreifen, wie dumm diese Vorstellung ist. In jeder Tiergattung können die Jungen bei der Geburt genau das sehen, was für sie wichtig ist. Eine junge Antilope muß schon ein fast perfekt entwickeltes Sehvermögen besitzen, wenn sie zum erstenmal auf ihren dürren Beinen steht. Sie muß beinahe von Geburt an in der Lage sein, vor Feinden zu fliehen. Eine Maus hingegen, die in einem dunklen, unterirdischen Nest geboren wird, braucht zu Anfang überhaupt keine Sehkraft. Sie wird blind geboren und bleibt deshalb lieber ruhig in ihrem Nest, als sich auf der Jagd nach irgendeinem Lichtschein zu verlaufen. Die geschlossenen Augen dienen hier als Schutz, und zum Erkennen ihrer Geschwister und der Mutter kann sie sich voll und ganz auf ihren Geruchssinn verlassen.

Das kleine Menschenwesen liegt irgendwo zwischen diesen zwei Extremen: Antilope und Maus. Das Baby ist so hilflos, daß eine gute Weitsicht ihm nichts nützen würde, doch es muß von Anfang an in der Lage sein, mit seiner Mutter in Blickkontakt zu treten. Dies funktioniert auf zweierlei Weise. Nicht nur das Baby wird auf das elterliche Gesicht fixiert; durch den Blickkontakt wird auch die Mutter allmählich auf das Gesicht ihres Babys fixiert. Das gegenseitige Anstarren aus kurzer Entfernung läßt vom ersten Augenblick an, wenn die frischgebackene Mutter ihr Kind in den Armen wiegt, ein Band der Zuneigung entstehen. Und es ist kein Zufall, daß die Entfernung zwischen ihrem Gesicht und dem ihres zärtlich gehaltenen Babys normalerweise zwischen 18 und 30 cm beträgt − genau die Distanz, auf die das Neugeborene seine Augen einstellen kann.

Neue Studien zum Verhalten von Babys gleich nach der Geburt haben gezeigt, daß sie, sobald sie sich vom Trauma der Geburt erholt haben, manchmal eine Stunde lang intensiv das Gesicht ihrer Mutter anstarren, sofern sie Gelegenheit dazu haben, und erst dann einschlafen. In einigen Krankenhäusern wird die Bedeutung dieses ersten Blickkontaktes noch immer außer acht gelassen. Dort ist man der Ansicht, Mutter und Kind bräuchten nach all den Strapazen erst einmal »Ruhe«. Oberflächlich betrachtet mag das richtig erscheinen, doch wenn Mutter und Kind beide wohlauf und gesund sind, ist es viel besser für sie, in der ersten Lebensstunde des Babys engen Blickkontakt zueinander aufzunehmen. Auf diese Weise kann das tiefe Band der Zuneigung schon in diesem wichtigen Moment gesponnen werden.

In den ersten Tagen reagiert das Baby positiv auf jedes Gesicht, das sich in angemessener Entfernung von ihm zeigt. Es kann die Mutter noch nicht von Fremden unterscheiden. Das ändert sich dann ganz allmählich, bis schließlich der Anblick der Mutter Freude aufkommen läßt und das in der Nähe grinsende Gesicht eines fremden Bewunderers nur noch Panik auslöst. Bisher hatte man angenommen, diese Unterscheidungsfähigkeit setze im Alter von ungefähr drei bis vier Monaten ein, doch diese Ansicht wurde kürzlich revidiert. Wie bei anderen Verhaltensweisen auch, nimmt man nun an, daß Babys bestimmte Fähigkeiten schon viel früher entwickeln. Manche Experten siedeln das Erkennen der Eltern schon im Alter von drei oder sogar zwei Wochen an. Dieser Meinungsumschwung rührt daher, daß in den früheren Tests der Fehler begangen wurde, den Babys statt der beweglichen, sprechenden Köpfe, die sie aus ihrem täglichen Leben kennen, schweigende, bewegungslose Gesichter zu zeigen. Eltern turteln und plappern fast immer mit ihren Sprößlingen herum, und diese Kombination aus Gesicht und Stimme kann das Baby wiedererkennen.

Diese spezielle Kombination von Sehen und Hören fand man durch einen ganz einfachen Test heraus. Zuerst zeigte man den Babys die schweigenden Gesichter ihrer Mütter und fremder Leute. Dann zeigte man ihnen Gesichter, die mit falscher Stimme sprachen. Zu diesem Zweck hatte man die Stimmen der Mütter und der Fremden auf Band aufgezeichnet, und dann mußten die Mütter mit fremden Stimmen und die Fremden mit den mütterlichen Stimmen sprechen. Zu guter Letzt zeigte man den Babys ihre Mütter, die mit ihrer eigenen Stimme sprachen. Im Alter von drei Wochen reagierten die Babys weder auf eines der schweigenden noch auf eines der »vertauschten« Gesichter, doch auf die magische Verbindung von mütterlichem Gesicht und mütterlicher Stimme reagierten sie sofort.

In diesem Alter sind Babys zwar fähig, Menschen zu unterscheiden, doch die Reaktion auf Fremde ist noch nicht sehr ausgeprägt. Es handelt sich hier eher um ein positives Interesse an den Eltern und Interesselosigkeit gegenüber Fremden. Es erfolgt noch keine starke negative Reaktion auf Fremde. Dieses Phänomen tritt erst etwa in der Mitte des ersten Lebensjahres auf. Dann verwandelt sich der kontaktfreudige wonnige Säugling plötzlich in einen schreienden Derwisch, wenn ihm fremde Gesichter zu nahe kommen. Das berühmte »Fremdeln«, das manchen Eltern beim ersten Auftreten so peinlich ist, hat begonnen.

Im Alter von neun Monaten wird es dann ganz akut, sehr zum Leidwesen vieler Kinderärzte. In dieser Entwicklungsphase wird das Sehvermögen differenzierter, das heranwachsende Baby kann sehr viel mehr Details erkennen und seine Augen auf verschiedene Brennweiten einstellen. Die volle Sehkraft erreicht ein Kind zwar erst im Alter von vier Jahren, doch gegen Ende der Babyzeit, wenn das Kind ein Jahr alt ist, sieht es schon fast genauso gut wie ein Erwachsener. Das Fokussieren gelingt fast ebenso gut wie beim Erwachsenen, und die binokulare Kontrolle der Augen funktioniert schon zu hundert Prozent. Die Sehschärfe wird im Laufe der Jahre zwar noch ein wenig besser, doch eigentlich ist schon das einjährige Kind im Vollbesitz seiner visuellen Fähigkeiten.

Wie gut können Babys hören?

Heute weiß man, daß Babys schon drei Monate *vor* der Geburt Geräusche wahrnehmen können. Dank unserer modernen Technologie können wir heutzutage untersuchen, wie Babys im Mutterleib auf plötzliche Geräusche reagieren.

Die ersten Reaktionen wurden bei ungeborenen Babys in der 24. Schwangerschaftswoche festgestellt. Ein durchdringendes, lautes Geräusch rief eine eindeutige Schreckreaktion hervor. In diesem zarten Alter war nicht immer eine Reaktion auszumachen, doch schon einen Monat später, in der 28. Schwangerschaftswoche, reagierten dann alle Babys. Während der letzten zwei oder drei Monate im Mutterleib kann das heranwachsende Baby also schon hören. Es nimmt die rhythmischen Geräusche im Körper seiner Mutter wahr und reagiert auch auf auditive Reize aus der Außenwelt.

Je durchdringender das Geräusch, desto stärker die Reaktion, denn die Schallwellen werden ja zunächst einmal vom mütterlichen Körper gefiltert, und dann ist das Mittelohr des Fötus auch noch voller Fruchtwasser, was zu einer weiteren Dämpfung der ankommenden Geräusche führt. Dieser Zustand bleibt auch erhalten, bis das Fruchtwasser wenige Tage nach der Geburt vom Mittelohr absorbiert wird. Und das ist nicht etwa ein Manko, sondern eine Schutzvorrichtung, die das Baby davor bewahrt, gleich nach der Geburt von einer unsäglichen Kakophonie bombardiert zu werden. Selbst mit der Flüssigkeit im Mittelohr muß es ein ziemlicher Schock sein, wenn die Ohren in der neuen Umgebung plötzlich direkter Stimulation ausgesetzt sind. Die Geräusche, die das Neugeborene auf einmal zu hören bekommt, müssen wie ohrenbetäubender

Lärm klingen. Ohne das Fruchtwasser wären sie wahrscheinlich unerträglich.

Es wurde der Einwand erhoben, die Reaktionen des ungeborenen Babys seien vielleicht gar nicht durch das Geräusch selbst, sondern durch den Schreck der schwangeren Mutter ausgelöst worden. Möglicherweise seien die Bewegungen des Babys in der Gebärmutter dadurch bedingt, daß die Mutter automatisch ihren Körper anspannt, wenn sie plötzlich eine Explosion hört oder eine Flasche am Boden zerschellt. Um das herauszufinden, wurden mehrere Tests durchgeführt, und man stellte fest, daß das ungeborene Baby auch dann noch sehr heftige Schreckreaktionen zeigte, wenn man der Mutter die Ohren zuhielt, so daß sie das Geräusch gar nicht hören konnte. Das Ungeborene kann also tatsächlich hören, was in der Außenwelt vor sich geht.

Aus dieser Beobachtung ergab sich die Frage, ob ein Baby schon vor der Geburt die Stimme seiner Mutter hören kann und so eventuell schon eine enge persönliche Beziehung zu ihr aufbaut. Das mag ein wenig an den Haaren herbeigezogen klingen, doch das ist es ganz und gar nicht. Als man untersuchte, wofür Neugeborene besonders empfänglich sind und was sie bevorzugen, stellte sich heraus, daß sie menschliche Stimmen jedem anderen Geräusch vorziehen und daß sie darüber hinaus stärker auf hohe, weibliche als auf tiefe, männliche Stimmen reagieren. Das läßt nur zwei Folgerungen zu: Entweder hat sich das Baby schon in den letzten Schwangerschaftsmonaten an die Stimme seiner Mutter gewöhnt, oder es hat eine angeborene Vorliebe für die mütterliche Stimme, die nicht erlernt ist und somit zum natürlichen Reife- und Entwicklungsprozeß eines Menschenkindes gehört. Momentan können wir nicht entscheiden, welche Erklärung zutreffend ist, denn alle Babys sind während der Schwangerschaft automatisch der Stimme ihrer Mutter ausgesetzt. Um diese Frage zu klären, müßte man eine Gruppe zukünftiger Mütter untersuchen, die außergewöhnlich tiefe Stimmen haben.

Auf jeden Fall ist das Baby bei seiner Ankunft auf dieser Welt bestens darauf vorbereitet, das wichtigste Geräusch in seinem jungen Leben wahrzunehmen: die Stimme seiner mütterlichen Beschützerin. Und diese Stimme ist unglaublich wichtig für das Baby. Mütter, die mit ihren Neugeborenen turteln und plappern, erweisen ihnen damit einen großen Gefallen. Auf sanfte Töne reagieren Säuglinge nämlich sehr positiv, auf scharfe und laute Geräusche hingegen mit Schmerz und Panik. Interessanterweise sprechen manche Männer mit kleinen Babys, wohl eher unbewußt, in höheren Tonlagen. Das ist vielleicht ein intuitives oder sogar angeborenes väterliches Verhalten, das sich im Laufe der Evolutionsgeschichte herausgebildet hat, um das Baby zu beruhigen und mit seiner oft bedrohlichen neuen Welt auszusöhnen.

Spezielle Tests haben ergeben, daß menschliche Stimmen den Babys lieber sind als andere Laute in derselben Tonhöhe. Sie haben also von Geburt an eine eindeutige Vorliebe für menschliche Lautäußerungen. Das sprachbegabte Tier ist nicht zu verleugnen. Weiterhin wurde beobachtet, daß Babys später, wenn sie anfangen, Laute nachzuahmen (für gewöhnlich gegen Ende des ersten Lebensjahres), sehr viel lieber menschliche Laute imitieren als Geräusche von Nichtlebewesen. So ahmen sie zum Beispiel eher die Worte ihrer Eltern nach als das Klingeln des Telefons. Sie sind von Anfang an in erstaunlicher Weise stärker auf menschliche als auf nichtmenschliche Geräusche programmiert. Das setzt ein gut entwickeltes Hörvermögen voraus, das von Geburt an als Mittel zum Spracherwerb dient.

Doch zurück zum Neugeborenen. Wir wissen, daß das Baby Tonhöhe und Lautstärke unterscheiden kann und daß verschiedene Geräusche diverse Folgen haben können: verringerte Muskeltätigkeit oder totale Schreckreaktion; Blinzeln, Schreien oder Luftschnappen; manchmal hörten die Babys sogar auf, an der Brust zu saugen. Letztere Reaktion wurde dazu benutzt, die Wahrnehmung verschiedener Töne zu testen. Ließ man einen Ton in einer bestimmten Höhe in der Nähe des saugenden Babys erklingen, so hörte es auf zu trinken und drehte den Kopf. Wenn dieselbe Note dann mehrmals wiederholt wurde, interessierte das Baby sich nicht mehr dafür und saugte weiter. Ertönte aber ein neues Geräusch, sagen wir eine Klingel oder ein Summer, zeigte das Baby erneut Interesse. Auf diese Weise ließ sich herausfinden, wie viele verschiedene Geräuscharten ein Baby voneinander unterscheiden kann. Das Ergebnis war wirklich beachtlich.

Als man bei älteren Babys testete, wie sie auf Geräusche mit verschiedenen Schwingungszahlen reagieren, stellte sich heraus, daß sie sogar einen größeren Hörbereich haben als Erwachsene. Die Babys konnten Geräusche von 16 bis 20000 Schwingungen pro Sekunde wahrnehmen. Die untere Grenze bleibt das ganze Leben hindurch gleich, doch die Empfänglichkeit für höhere Töne nimmt mit Beginn der Pubertät ständig ab. Im Alter von sechzig Jahren ist der erwachsene Mensch bereits bei dürftigen 12000 Schwingungen pro Sekunde angekommen. Ironie des Schicksals: Wenn man endlich alt genug ist, sich eine teure Hi-Fi-Anlage zu leisten, kann man sie gar nicht mehr richtig genießen. Den höheren Tonlagen könnten Babys da sicher viel mehr abgewinnen, wenn sie schon die Nuancen guter Musik zu schätzen verstünden.

Man war sich lange nicht darüber einig, wann ein Baby zum erstenmal ein Geräusch lokalisieren kann und wann es die Stimme seiner Mutter erkennt. Früher glaubte man, daß diese Fähigkeiten sich erst relativ spät entwickeln, doch bei neueren Forschungsergebnissen verlagerte sich dieser Zeitpunkt immer weiter nach vorn; es standen auch immer bessere Testmethoden zur Verfügung. Anfänglich hieß es, ein Baby würde erst im Alter von etwa drei Monaten den Kopf drehen, wenn es einen Laut hört. Jetzt sagt man, ein Säugling könne bereits zehn Minuten nach der Geburt Geräusche lokalisieren. Weiterhin hieß es, ein Baby könne erst nach mehreren Wochen die Stimme seiner Mutter von anderen weiblichen Stimmen unterscheiden.

Jetzt sagt man, diese Fähigkeit erreiche der Säugling bereits vor Ablauf der ersten Lebenswoche.

Diese Differenzen ergeben sich daraus, daß frühere Beobachter die Reaktion nur gelten ließen, wenn das Baby seinen Kopf zur Geräuschquelle hindrehte — das beginnt allerdings wirklich erst im Alter von drei Monaten. Doch durch genauere Untersuchungen kamen noch ganz andere Reaktionsweisen ins Spiel. Das Neugeborene dreht vielleicht nicht den ganzen Kopf, aber zumindest doch seine Augen. Bei einem ganz raffinierten Test konnte das Baby seine Mutter vor sich in einer schalldichten Kabine sitzen sehen und befand sich selbst zwischen zwei Stereo-Lautsprechern. Diese konnten so eingestellt werden, daß die Stimme der Mutter entweder von rechts, von links oder vom Gesicht in der Mitte zu kommen schien. Das Neugeborene konnte den Unterschied ganz eindeutig feststellen. Schien die Stimme der Mutter nicht aus der Richtung zu kommen, wo sich ihr Gesicht befand, geriet das Baby aus der Fassung. Nur wenn die Stimme scheinbar von vorn kam, wo auch das Gesicht war, entspannte sich das Baby und wirkte zufrieden. Demzufolge ist ein Neugeborenes also nicht nur in der Lage festzustellen, woher ein Geräusch kommt, sondern es verlangt auch, daß Ton und visuelles Bild aus derselben Richtung kommen. Die Mutter ist also nicht nur ein Gesicht oder eine Stimme, sondern eine Verbindung von beidem. Diese Fähigkeit der Geräuschlokalisierung beim Neugeborenen zeigt wieder einmal, wie gut gerüstet das winzige Menschlein schon auf die Welt kommt.

Im Laufe der Zeit steigert das heranwachsende Baby dann sein Leistungsvermögen. Im Alter von drei bis vier Monaten dreht es den Kopf mitsamt Augen zu einer Geräuschquelle hin, die etwa 45 cm von seinem Ohr entfernt ist. Mit fünf Monaten dreht und senkt es den Kopf, wenn sich die Geräuschquelle unterhalb des Ohres befindet. Mit sechs Monaten dreht und hebt es den Kopf, wenn das Geräusch von oberhalb des Ohres kommt. (Diese Aufwärtsbewegung ist ein bißchen schwieriger als die Abwärtsbewegung.) Im Alter von sieben Monaten dreht es den Kopf in einem Rundbogen zur Geräuschquelle hin und verbessert so die fließende Kopfbewegung. Mit acht Monaten erlangt es dann ein Maximum an Effizienz, wenn es seinen Kopf in jedem beliebigen Winkel direkt zum Ursprung des Geräusches hin schwenken kann. All diese Veränderungen betreffen jedoch nicht das Hörvermögen des Kindes, sondern lediglich seine Fähigkeit, mit visueller Aufmerksamkeit auf Geräusche zu reagieren. Anders gesagt: Das Menschenbaby hört von Anfang an gut, es kann uns nur noch nicht zeigen, wie gut es hört.

Gegen Ende der Babyzeit gewinnen dann Wörter zunehmend an Bedeutung. Das Gebrabbel bekommt System, und der Weg zur Sprache ist nicht mehr weit. Auch hier sind die Experten sich wieder nicht einig, wann diese Phase beginnt. Als früheste Daten gelten: 28 Wochen, bis das Baby erkennbar auf den eigenen Namen reagiert; 36 Wochen, bis es die Bedeutung verschiedener Wörter kennt. Andere gehen davon aus, daß das alles jeweils erst einen Monat später passiert. Die Differenzen ergeben sich vielleicht aus verbesserten Testmethoden oder aus unterschiedlichen Babygruppen. Man darf nie vergessen, daß auch die Umgebung einen gewissen Einfluß darauf ausüben kann, wie schnell sich ein Baby körperlich und geistig entwickelt. Im Endeffekt gleichen sich die graduellen Unterschiede jedoch wieder aus, denn die bemerkenswerte Folgerichtigkeit des menschlichen Reifeprozesses führt unaufhaltsam zum Erwachsenendasein, ob wir wollen oder nicht.

Wie gut können Babys riechen?

Die Welt der Erwachsenen wird so sehr von visuellen Eindrücken dominiert, daß Gerüche im Alltagsleben nur eine untergeordnete Rolle spielen. Relativ stark reagieren wir auf den Duft teurer Parfüms, den Gestank verdorbener Nahrungsmittel und auf Feuergeruch, doch das sind Ausnahmen. Die meiste Zeit nehmen wir Gerüche aus unserer Umwelt eigentlich kaum wahr. Mit verbundenen Augen würden wir in Panik geraten, doch mit verstopfter Nase könnten wir problemlos weiterleben.

Es ist schwierig herauszufinden, wie empfänglich Neugeborene für die Gerüche ihrer Umgebung sind, doch verschiedene Tests haben gezeigt, daß sie beispielsweise auf Anissamen und Essigsäure reagieren. Demzufolge ist die Babynase also schon in den ersten Wochen ein aktives Sinnesorgan.

Aber der Säugling reagiert nicht nur auf den durchdringenden Geruch bestimmter Chemikalien; ganz besonders empfänglich ist er auch für den Körpergeruch seiner Mutter. Genaue Untersuchungen haben eindeutig ergeben, daß ein normales Baby den Busen seiner Mutter schon allein am Geruch von anderen unterscheiden kann. Das läßt sich ganz einfach beweisen, denn Neugeborene fangen schon sehr bald nach der Geburt an, ihren Kopf dem mütterlichen Busen zuzudrehen, sobald er in ihre Nähe kommt. Diese Reaktionsweise wurde dann anhand von Stofftüchern getestet, die man zuvor der echten bzw. irgendeiner anderen Mutter auf die Brüste gelegt hatte. Die Babys waren unbeirrbar: Den Stofftüchern ihrer eigenen Mütter drehten sie weitaus am häufigsten den Kopf zu, an den Tüchern mit dem Geruch anderer Mütter und an sauberen, nichtgebrauchten Exemplaren zeigten sie hingegen nur sehr wenig Interesse. Bei diesen Tests war der Geruch das einzige Unterscheidungsmerkmal, es gab keinerlei andere Faktoren, die das Ergebnis hätten beeinflussen können.

Diese Fähigkeit, die Brust der stillenden Mutter am Geruch zu erkennen, zeigt, wie gut das Menschenbaby gerüstet ist, um sich vor Hunger zu schützen. Selbst bei Dunkelheit ist es in der Lage, sich dieser lebenswichtigen Nahrungsquelle zuzuwenden und seiner mütterlichen Gefährtin verständlich zu machen, daß es trinken will.

Zumindest in diesem Punkt könnte ein Baby also sensiblere Antennen besitzen als ein Erwachsener, auch wenn wir, wie erst kürzlich festgestellt wurde, alle viel größere Riechexperten sind als bislang angenommen, vor allem, wenn persönliche Gerüche mit ins Spiel kommen.

Den persönlichen Duft seiner Mutter hat ein Neugeborenes schon nach kürzester Zeit verinnerlicht. Werden Mutter und Kind nach der Geburt nicht künstlich getrennt, so kann das Neugeborene schon nach 45 Stunden den Körpergeruch seiner Mutter von anderen unterscheiden. Das wurde durch Tests nachgewiesen.

Noch überraschender ist vielleicht die Tatsache, daß Mütter ihr Baby auf dieselbe Weise identifizieren können. Bleibt eine Mutter die erste halbe Stunde nach der Geburt in engem Kontakt mit ihrem Säugling, so kann sie ihn sechs Stunden später allein am Geruch wiedererkennen. Den wenigsten Müttern ist bewußt, daß sie diese bemerkenswerte Fähigkeit besitzen, weil sich in unserer modernen Welt keine Gelegenheit mehr bietet, solche Talente unter Beweis zu stellen. Doch auch unsere Spezies verfügt über diese besondere Eigenschaft, was darauf schließen läßt, daß schon in den ersten Minuten nach der Geburt eine enge Bindung entsteht. Deshalb muß an dieser Stelle noch einmal betont werden, daß diese Phase sehr viel Intimität verlangt und durch nichts und niemanden gestört oder unterbrochen werden sollte. In dieser Zeit wollen sich Mutter und Kind nicht nur sehen, hören und berühren, sondern auch riechen, um auf diese Weise den Prägungsprozeß in Gang zu setzen.

Der Geruchssinn von Neugeborenen ist so stark entwickelt, daß selbst zu früh geborene Babys problemlos verschiedene Substanzen voneinander unterscheiden können. Von allen menschlichen Sinnen ist der Geruchssinn anscheinend derjenige, der am schnellsten heranreift und im Alter am längsten erhalten bleibt. Das liegt vielleicht daran, daß er der älteste und primitivste all unserer Sinne ist.

Wenn der Geruch der Mutterbrust so wichtig für ein Baby ist, muß man sich doch die Frage stellen, woher dieser Duft eigentlich stammt. Ist es die Milch, sind es Absonderungen der speziellen Hautdrüsen um die Brustwarze herum, oder sind es die mütterlichen Hautsekretionen im allgemeinen?

Es ist bekannt, daß kleine Kätzchen beim Saugen ihre ganz persönliche Zitze haben. Sobald die Katzenmutter kommt und sich niederlegt, um ihren Nachwuchs zu säugen, kehrt jedes Kätzchen stets unbeirrbar zu seiner Zitze zurück. Da gibt es keine Kabbelei, denn jedes Kätzchen nimmt sofort seinen angestammten Platz ein. Das Ganze wird ausschließlich durch den Geruch geregelt, da jede einzelne Zitze der Katzenmutter ihren ganz speziellen Duft hat. Dies erschien Beobachtern so unwahrscheinlich, daß einige ganz simple Tests durchgeführt wurden. Am Ende stellte sich heraus, daß die verschiedenen Gerüche der Zitzen durch das Saugen der Kätzchen entstanden waren. Anders ausgedrückt: Die Mutter produzierte nicht etwa mehrere verschiedene Zitzengerüche − einen pro Zitze −, sondern das Saugen der Kätzchen hinterließ *deren* persönlichen Duft, mit Hilfe dessen sie dann ihren Platz immer wiederfinden konnten.

Es ist sehr gut möglich, daß es beim Menschenbaby ähnlich ist und daß es die Neugeborenen selbst sind, die der mütterlichen Brust ihren »persönlichen« Duft verleihen. Ganz sicher tun sie es jedenfalls bei ihren weichen Lieblingsspielzeugen wie Teddybären und Schmusedecken. Das werden viele Eltern bestätigen können, die schon einmal auf die Idee kamen, solche Dinge zu waschen, und hinterher feststellen mußten, daß ihre Kinder die Spielzeuge gar nicht mehr so attraktiv fanden, wenn sie hygienisch und geruchlos wieder auftauchten.

Wie gut können Babys schmecken?

Babys sind Leckermäuler, deren Geschmackssinn von Geburt an gut entwickelt ist. Sie haben mehr Geschmacksknospen als Erwachsene, und diese sind außerdem noch über eine größere Fläche verteilt, denn nur Babys besitzen zusätzlich zu den Geschmacksknospen auf der Zunge, am Gaumen, im hinteren Rachen und auf den Mandeln auch noch einige an den Innenseiten der Wangen. Sie hätten das Zeug zum absoluten Feinschmecker, und dennoch ist dieser ganze Geschmacksapparat nur auf ein einziges Nahrungsmittel ausgerichtet: süße Muttermilch. Alle anderen Geschmäcker werden entschieden abgelehnt.

Wir als erwachsene Gourmets wissen natürlich, daß es in unserem Essen unzählige feine Aromen gibt, dennoch müssen wir zugeben, daß es im Endeffekt nur vier verschiedene Grundgeschmacksrichtungen gibt, nämlich bitter, scharf, sauer und süß. Bietet man einem Baby alle vier nacheinander an, so ekelt es sich vor den ersten dreien. Es verzieht das Gesicht, versucht den Kopf abzuwenden und schneidet gleichzeitig Grimassen. Ist der Geschmack besonders widerwärtig, so quittiert es das manchmal auch mit ärgerlichem Geschrei.

Die vierte Geschmacksvariante hat den gegenteiligen Effekt und regt zu heftigem Saugen an. Und je ausgeprägter die Süße, desto länger saugt das Baby. Taucht ein Erwachsener seinen Finger in eine Zuckerlösung und steckt ihn dann dem Baby in den Mund, so beginnt es gleich, an der Fingerspitze zu saugen und zu lecken. Wird der Finger dann herausgezogen, versucht das Kind, ihm mit dem Kopf zu folgen. Die Reaktion ist eindeutig. Das Gegenbeispiel liefert ein in Salzlösung getauchter Finger, der schon bald zurückgewiesen wird. Nach anfäng-

71

lichem Probieren setzt keine Saugreaktion ein, der Finger wird mit Hilfe der Zunge aus dem Mund geschoben, das Baby schneidet Grimassen und schüttelt den Kopf, um den scheußlichen Geschmack wieder loszuwerden.

Das Menschenbaby ist eindeutig darauf programmiert, alles zurückzuweisen, was nicht seiner natürlichen Milchnahrung entspricht. Doch wie bei anderen Sinnesorganen auch ist diese einseitige Ausrichtung der Geschmacksknospen nicht etwa einfallslos oder unterentwickelt. Babys haben einen fein abgestimmten, begrenzten Geschmackshorizont, der perfekt auf ihre Lebensbedingungen zugeschnitten ist. Sie hassen Dinge wie Oliven, Senf, Pfeffer, Bier und Kaffee – und das ist auch gut so. Sie sind keine Feinschmecker. Von der Ernährung her betrachtet, sind sie ständig wachsende Saugapparate, für die es eine ernsthafte Bedrohung darstellen würde, mit exotischen Geschmäckern herumzuexperimentieren. Ihre vielen, hypersensiblen Geschmacksknospen wachen streng darüber, daß sie nicht von der »Milchstraße« abkommen.

Erwachsene lassen sich zwar sehr viel leichter für verschiedene Geschmäcker und Aromen begeistern, doch interessanterweise kommen in Streßsituationen sehr schnell wieder die kindlichen Gewohnheiten durch. Süßes vermittelt Geborgenheit. Warmer, süßer Tee oder Kaffee beruhigt uns, wenn wir aufgeregt sind. Wenn wir unglücklich sind, entwickeln wir oft eine Schwäche für Bonbons, Schokolade und Kuchen – sie erinnern uns an die wohlige Nestwärme unserer Kindertage, als Süßigkeiten für uns das Größte waren. (Nur leider sind sie bei mangelnder Pflege nicht so gut für die Zähne.)

Wie reagieren Babys auf Gleichgewichtsverlust?

Wenn ein Neugeborenes spürt, daß es fällt, legt es eine bemerkenswerte Reaktion an den Tag. Es verhält sich genau wie ein kleiner Affe, der versucht, sich am Fell seiner Mutter festzuklammern. Im Gegensatz zum Affenkind sind seine Bemühungen jedoch vergebens und auch recht unvollkommen, aber das spielt kaum eine Rolle, da Menschenmütter ohnehin keine Körperbehaarung mehr haben, an der sich ihre schutzsuchenden Kinder festklammern könnten. Der Anklammerungsversuch des Neugeborenen ist nur noch ein Relikt, das an unsere Vorfahren erinnert.

Dabei geschieht folgendes: Wenn das Baby fällt, wird ihm seine Situation nicht durch Geräusche oder Bilder bewußt, sondern durch die Veränderung des Gleichgewichts, das vom Bogengang des inneren Ohres überwacht wird. Als Reaktion darauf streckt es in einem verzweifelten Rettungsversuch alle viere von sich. Es wirft seine Ärmchen zur Seite, öffnet die Hände und spreizt die Finger. Wenn die Beine in ihrer Bewegungsfreiheit nicht eingeschränkt sind, werden auch diese weggeschleudert und so gekrümmt, als wollten sie sich irgendwo anklammern. Anschließend werden die Arme wieder zusammengenommen, als würden sie etwas umschlingen. Dann kehrt das Baby langsam zur entspannten Ausgangslage zurück. Manchmal schreit es auch noch dabei, um seine Mutter zu alarmieren.

Durch all diese Aktionen bekommt das Kind nicht unbedingt Kontakt zum Körper der Mutter. Es handelt instinktiv und greift dabei meistens nur in die Luft. Der Klammerreflex ist nicht mehr vollständig vorhanden, doch selbst die rudimentären Reste sind für Eltern mitunter recht hilfreich, denn das Kind kann ihnen auf diese Weise unmißverständlich mitteilen, daß es sich unsicher und körperlich bedroht fühlt. Ein nützliches und deutlich sichtbares Zeichen.

Auch Kinderärzte machen sich diesen Reflex zunutze, um die Funktionsfähigkeit der Gliedmaßen zu untersuchen. Bei einem gesunden Baby erfolgt das Spreizen der Arme und Beine nämlich ganz gleichmäßig. Tut der Arzt nun so, als wolle er das Baby fallen lassen, kann er bei dieser Gelegenheit überprüfen, ob die Arme und Beine symmetrisch vom Körper weggestreckt werden. Dieser Test wurde 1918 von dem deutschen Arzt Moro entwickelt, und die Reflexbewegung ist heute unter dem Namen *Moro-Reflex* bekannt. Er legte damals das Baby rücklings auf einen Tisch und fing dann plötzlich an, mit der Hand am Tisch zu rütteln. Das Neugeborene streckte sofort Arme und Beine von sich und umklammerte die Luft. Erfolgte dies gleichmäßig, so hatte es den Test bestanden.

Diese Methode funktionierte aber nur, wenn sich der Kopf des Babys genau in der Mitte des Tisches befand. Andernfalls blieb das gewünschte Resultat aus. Eine faszinierende Ausnahme war zu beobachten, wenn das Baby zufällig etwas in der Hand hielt — sagen wir einen Bleistift. Wenn seine Fingerchen beim Verlust des Gleichgewichts einen solchen Gegenstand fest umklammert hielten, so streckte es den Arm auf dieser Seite nicht aus. Nur der andere Arm mit der leeren Hand schoß zur Seite und machte die Klammerbewegung. Das ist der eindeutige Beweis dafür, daß das Baby mit dem Moro-Reflex versucht, sich irgendwo festzuklammern, denn wenn die Hand schon etwas umklammert hält, wird der Arm nicht ausgestreckt. Der Reflex ist so automatisch, daß die Armbewegung auch dann ausbleibt, wenn es sich um ein Objekt wie einen Bleistift handelt.

Noch überraschender war die Beobachtung, daß der Arm auch dann nicht ausgestreckt wurde, wenn das Baby einfach nur seinen eigenen Daumen festhielt. Umklammerte es mit beiden Händen die jeweiligen Daumen, so erfolgte auf beiden Seiten keine Armbewegung mehr. Daran sieht man, wie beruhigend es sein kann, »die Daumen zu halten«. Es vermittelt dem Daumendrücker ganz eindeutig das Gefühl von Schutz. Heutzutage wenden die Ärzte eine etwas andere Technik an, um den Moro-Reflex hervorzurufen. Sie halten das Baby mit dem Gesicht nach oben, wobei eine Hand den Körper und die andere den Kopf stützt. Dann lassen sie die Hand, die den Kopf abstützt, um einige Zentimeter absinken. Sobald das Baby merkt, daß der Kopf fällt, wird der Reflex ausgelöst.

Wer schon einmal ein Schimpansenbaby getragen hat, wird diese Reflexbewegung mehrfach beobachtet haben. Man setzt sich nieder und entspannt sich, während das Affenbaby sich noch an die Jacke klammert. Dann entspannt sich auch das Affenkind und lockert seinen Griff. Doch sobald sich der Körper unter der Jacke anspannt oder bewegt, als wolle er aufstehen, schließen sich die kleinen Arme und Beine wieder fest um den Körper, und die Hände klammern sich erneut an der Kleidung fest. Das ist der Moro-Reflex in seiner ursprünglichen Form.

Bei Affen bleibt er über Jahre hinweg erhalten, bei Menschenkindern hingegen verschwindet er sehr schnell. Direkt nach der Geburt ist er bei allen Babys vorhanden, und sechs Wochen später ist er noch bei 97 Prozent aller Babys feststellbar. Dann verliert er langsam an Intensität und ist manchmal schon im Alter von zwei Monaten nicht mehr da. Normalerweise verschwindet er endgültig mit drei oder vier Monaten, in Ausnahmefällen kann er aber auch sechs Monate überdauern.

Es ist erstaunlich, wie viele Fachleute den Moro-Reflex mit der Schreckreaktion verwechseln. Der Unterschied liegt im Detail, und die Schreckreaktion verschwindet auch nicht im Laufe einiger Wochen. Ganz im Gegenteil: Sie bleibt uns bis ins Erwachsenenalter erhalten und ist dann sogar noch ausgeprägter. Das kann man ganz deutlich sehen, wenn man hinter einem nichtsahnenden Erwachsenen einen lauten Knall ertönen läßt. Automatisch versteift sich der Körper, die Schultern werden hochgezogen, und die Arme zucken, als wollten sie sich schützen. Doch die Arme schießen nicht zur Seite. Sie sind im Ellbogen viel stärker angewinkelt als beim Moro-Reflex, und die Hände bleiben geschlossener. Es ist eher eine Verteidigungsreaktion als ein urzeitlicher Klammerreflex, und deshalb sollte man die beiden nicht in einen Topf werfen.

Wie gut können Babys ihre Temperatur kontrollieren?

Nicht sehr gut, um es kurz zu sagen. Einer Überhitzung oder Unterkühlung sind sie im Vergleich zum Erwachsenen fast hilflos ausgeliefert. Sie brauchen jede erdenkliche Hilfe, um ihre Temperatur zu regulieren. Wenn es einem Erwachsenen zu heiß wird, kann er sich von der Wärmequelle entfernen und einen kühleren Platz aufsuchen. Babys können das nicht. Wenn ihnen zu warm ist, können sie nur so laut wie möglich schreien. Das kann zwar eine Hilfsperson alarmieren, doch dummerweise wird dadurch auch die körpereigene Wärmeproduktion dramatisch gesteigert. Die intensive physische Anstrengung des lauten Schreiens regt den Stoffwechsel an, und wenn das arme Baby nicht schnell genug erhört wird, ist ihm noch heißer als zuvor.

Wenn Erwachsenen zu warm wird, können sie ihre Kleider ausziehen. Babys versuchen bei Überhitzung, ihre warme Decke wegzustrampeln, doch wenn sie fest eingewickelt sind, wird ihnen das kaum gelingen. Auch das ist eine Leidenssituation, die Erwachsene gar nicht kennen (es sei denn, sie sind Soldaten und müssen während einer sommerlichen Hitzewelle in voller Uniform eine Parade durchstehen.)

Erwachsene können ihr Problem auch verbal kundtun, indem sie darum bitten, daß ein Fenster geöffnet oder die Heizung abgedreht wird. Auch das liegt für Babys nicht im Bereich ihrer Möglichkeiten. Sie können wieder einmal nur schreien und weinen. Dadurch zeigen sie, daß sie unglücklich sind, aber die Eltern wissen nicht, warum. Vielleicht glauben sie, daß ihr Baby vor Hunger schreit und geben ihm warme Milch aus der Brust oder aus der Flasche, wodurch dem Baby natürlich nur noch mehr innere Wärme zugeführt wird. Wenn Erwachsene heiße Getränke zu sich nehmen, können sie mit der Flüssigkeit ihre Schweißdrüsen versorgen, denn die Schweißabsonderung über die Haut hat einen kühlenden Effekt. Doch bei Neugeborenen ist das nicht so. Bei Babys sind die Schweißdrüsen nur schwach entwickelt, so daß ihnen dieser Kühlmechanismus nicht zur Verfügung steht. Erst im Alter von zwei Jahren kann ein Kind genauso gut schwitzen wie seine Eltern.

Und als ob das alles nicht schon genug wäre, sind die Babys auch noch reichlich mit gut isolierenden Fettschichten ausgerüstet. Dadurch wird die Wärmeabgabe weiter verringert, was natürlich die Probleme verschlimmert, wenn die Temperatur zu hoch ansteigt. Noch dazu ist die Babyhaut dünn und sehr empfindlich. Wenn sie der Heizung zu nahe kommt, kann sie sehr schnell mit roten Punkten und Flecken reagieren.

Eine der Hauptaufgaben der Eltern ist es also, ihr Kind vor Überhitzung zu schützen. Aber auch das andere Extrem kann gefährlich werden: Unterkühlung. Dafür sind Babys nämlich ebenfalls sehr anfällig. Sie können nicht richtig zittern – sehr kleine Babys meist gar nicht –, und das Fehlen dieser Notreaktion auf extreme Kälte ist ein schwerwiegender Nachteil. Sie können auch nicht, wie Erwachsene, einfach ein paar Sachen mehr überziehen, wenn sie frieren. Ein überhitztes Baby hat wenigstens noch die Chance, seine Decke wegzustrampeln, doch ein unterkühltes Baby kann sich nicht selbst anziehen oder zudecken. Wenn Babys urinieren und sich dabei einnässen, wird der Auskühlungsprozeß durch das Verdunsten der Flüssigkeit noch beschleunigt. Wenn sie keine Haare auf dem Kopf haben – was ja meistens der Fall ist –, verlieren sie auch über die Kopfhaut sehr viel Wärme, selbst wenn der restliche Körper bedeckt ist. Wenn sie unruhig schlafen, können sie auch leicht die Bettdecke verlieren und sich dadurch verkühlen.

Gefahr lauert auch, wenn sehr kleine Babys tief schlafen,

denn in diesem Fall kann ihr Stoffwechsel nicht angemessen auf absinkende Raumtemperaturen reagieren. Die Reaktion erfolgt erst ganz kurz vor dem Aufwachen. Deshalb ist es für Neugeborene gefährlich, lange in einem kalten Zimmer zu schlafen.

Bei Frühgeburten ist das Risiko sogar noch größer, denn das spezielle braune Fettgewebe wird erst in den letzten Wochen einer normalen Schwangerschaft angelegt, und genau diese Zeit fehlt solchen Babys. Dieses Fett ist besonders wichtig für die körpereigene Wärmeproduktion, weshalb zu früh geborene Babys unter ungünstigen Bedingungen sehr schnell und gefährlich auskühlen können. Aus diesem Grunde müssen Frühgeburten im warmen Brutkasten liegen. Um sich wohl zu fühlen, brauchen nackte Frühgeborene eine Temperatur von gut 32° Celsius, doch andererseits muß man sie auch vor Überhitzung schützen, und die Thermometer müssen gut funktionieren, damit die Temperatur im Brutkasten nicht über 35° Celsius steigt.

In Anbetracht dieser mangelhaften Temperaturkontrolle könnte man meinen, das Menschenbaby sei in dieser Hinsicht von der Evolution vernachlässigt worden. Warum ist das Neugeborene nicht besser gerüstet, um potentiell gefährliche Veränderungen in der Außentemperatur auszugleichen? Der Grund liegt mit großer Wahrscheinlichkeit darin, daß die Menschheit sich in einem angenehm warmen Klima entwickelte, wo Temperaturschwankungen kein ernsthaftes Risiko für Babys darstellten. Das gefährlichere Extrem ist ohnehin die Unterkühlung, und dieses Problem existierte damals ganz einfach nicht. Wenn es nachts kalt wurde, drückten die Mütter früher ihr Baby einfach an ihren warmen Körper und schliefen auch so mit ihnen, gemütlich und sicher. Und bei Tag mußten sie sie lediglich vor direkter Sonnenbestrahlung schützen, damit die empfindliche Haut keinen Schaden nahm und der kleine Körper nicht überhitzt wurde. Aufgrund des warmen Klimas waren Temperaturprobleme damals eher unwichtig, doch als unsere Spezies so erfolgreich wurde, daß sie sich immer weiter über den ganzen Erdball ausbreitete, tauchten neue Schwierigkeiten auf. In den kälteren Klimazonen waren Babys ernsthaft von Unterkühlung bedroht, und so wurde schwere, warme Kleidung plötzlich lebenswichtig. Diese Klimata waren unnatürlich für den Menschen, und viele Babys unserer Vorfahren mußten sicherlich mit dem Leben dafür bezahlen, daß ihre Eltern den Planeten in Richtung Norden und Süden erobern wollten.

Heutzutage können Babys dank Zentralheizung und Klimaanlage wieder »natürlichere« Temperaturen genießen. Da diese »natürlichen« Temperaturen aber absolut künstlich hergestellt werden, müssen moderne Mütter ganz besonders darauf achten, daß immer die richtige Temperatur gegeben ist. In gemäßigten Klimazonen liegt sie meist ein wenig höher, als die Mütter sie von sich aus ansetzen würden. Das liegt daran, daß sie als Erwachsene schon daran gewöhnt sind, in kälteren Gegenden zu leben, als es für unsere Spezies »normal« wäre (im Hinblick auf die Millionen Jahre, die wir uns in den wärmeren Regionen der Erde entwickelten). Eine Rolle spielt auch, daß unsere Körper kälter sind als die unserer Babys, denn die Körpertemperatur des Menschen sinkt im Laufe des Lebens ein wenig ab. Deshalb brauchen Babys zum Wohlfühlen einen etwas wärmeren Raum als ihre Eltern.

Es gibt eine wissenschaftliche Methode, die richtige Raumtemperatur zu berechnen. Dabei spielen zwei Faktoren eine Rolle: die neutrale Temperatur für das Baby und die Kleidung, die es am Körper trägt. Die neutrale Temperatur oder, korrekt ausgedrückt, »die thermische Neutralzone« ist auf dem Niveau erreicht, wo das Baby mit dem geringsten Aufwand seine Körpertemperatur halten kann. Wie alle Lebewesen muß auch das Menschenbaby Energie aufwenden, um in kalter Umgebung seine Körperwärme aufrechtzuerhalten. Wärme wird durch die Stoffwechselprozesse des Körpers und durch Muskeltätigkeit erzeugt. Beschleunigt nun das Baby diese Stoffwechselprozesse im Übermaß, um sich warm zu halten, so läuft es viel schneller als Erwachsene Gefahr, seine körperlichen Reserven aufzubrauchen. Auch durch die Aktivierung seiner Muskeln kann es verhältnismäßig wenig erreichen. Doch es besitzt noch einen zusätzlichen Schutzmechanismus − den nur Babys haben −, und zwar das reichhaltige Braunfettdepot, das oben schon erwähnt wurde. Diese Fettreserve, die in der Rücken- und Nackengegend konzentriert ist, kann durch einen speziellen chemischen Prozeß Wärme freisetzen und leistet dem Kind in den ersten Lebenstagen gute Dienste, falls die Außentemperatur ein bißchen zu niedrig sein sollte.

Am wenigsten beansprucht werden all diese Heizsysteme, wenn die Temperatur außerhalb des Körpers ungefähr 32° Celsius beträgt. Das gilt allerdings nur für ein vollkommen nacktes neugeborenes Baby. Ist der Säugling hingegen warm eingepackt, so genügt schon eine viel niedrigere Raumtemperatur, da unter der Kleidung viel höhere Werte erreicht werden. So wurden zum Beispiel unter einem Babyschal 32° Celsius gemessen, obwohl die Außentemperatur nur 25° Celsius betrug. Temperiert man also einen Raum ungefähr auf diesen Wert, so verschafft man dem Baby nahezu ideale »neutrale« Bedingungen. Es kann auch ruhig noch ein wenig kühler sein. Normalerweise wird für bekleidete Neugeborene eine Raumtemperatur von 24° Celsius empfohlen. Früher wurde dieser Wert noch niedriger angesetzt, ungefähr bei 21° Celsius, doch obwohl Babys auch mit solchen Temperaturen zurechtkommen, plädiert man heute für etwas mehr Wärme. Vor allem wenn die Kinder aus irgendeinem Grunde unbekleidet sind, muß unbedingt für zusätzliche Wärme gesorgt werden, bis sie wieder angezogen sind.

Nach den ersten Lebenstagen geht der Wärmebedarf langsam zurück. Schon nach wenigen Wochen hat das Baby die körpereigene Wärmeproduktion und die Temperaturkontrolle besser im Griff. Dann ist eine ständige Raumtemperatur von 20−21° Celsius vollkommen ausreichend. Sind die ersten

Lebenstage überstanden, gedeihen gut angezogene Babys bei solchen Temperaturen am besten. Doch auch jetzt muß noch aufgepaßt werden, daß die Kinder nicht anfangen zu frieren, wenn sie beim Umziehen oder Baden vorübergehend unbekleidet sind.

Zusammenfassend kann man sagen, daß Neugeborene nach einigen Wochen durchaus in der Lage sind, geringfügige Temperaturschwankungen zu ertragen, doch größere Abweichungen sind auch für ältere Babys noch gefährlich, besonders wenn sie anfangen zu frieren. Unkontrollierte Temperaturstürze und plötzliche Hitzeentwicklungen sollte man ihnen nach Möglichkeit ersparen. Kleine Kinder haben kaum Schutzmechanismen, wenn Zimmer nachts eiskalt werden, während die Eltern sanft vor sich hinschlummern, oder wenn sie intensiver Sonnenbestrahlung und »Treibhauseffekten« ausgesetzt sind.

Warum schreien Babys?

Das Schreien eines Babys ist immer ein Notruf. Da es sich noch nicht mit Worten mitteilen kann, ist das Geschrei in den ersten zwölf Lebensmonaten sein wichtigstes Verständigungsmittel. Es ist ein allgemeiner Hilferuf, der die Eltern sofort in Alarmbereitschaft versetzt, auch wenn nicht immer klar ist, worum es im einzelnen geht. Die Hauptaufgabe dieses Notrufes besteht darin, die Eltern so schnell wie möglich herbeizuholen. Sind sie dann erst einmal da, können sie ihr Baby trösten und gleichzeitig versuchen herauszufinden, warum es schreit.

Da gibt es im großen und ganzen sieben verschiedene Möglichkeiten: Schmerzen, Unwohlsein, Hunger, Einsamkeit, Überreizung, Langeweile und Frustration.

Wenn wir uns als Erwachsene den Kopf anschlagen oder die Finger einklemmen, schreien wir vielleicht auf oder fluchen, aber wir schreien nicht. Dafür fangen Babys bei jeder Art von Schmerz an zu schreien, und sie haben auch allen Grund dazu, denn sie können ja nicht wissen, wie schwerwiegend ihre Verletzung ist. Es kann eine kleine Prellung oder auch eine größere Wunde sein, und für sie ist beides gleich schlimm. Sie fangen auf jeden Fall erst einmal aus voller Kehle zu schreien an, auch wenn sie gar nicht so genau wissen, was ihnen eigentlich weh tut. Dann kommen mit Sicherheit die Eltern herbeigerannt, um den Schaden zu begutachten und entsprechende Hilfsmaßnahmen zu treffen. Eltern sollten niemals dem Glauben verfallen, das Schreien ihres Babys sei eine Art »Selbstbehauptungstraining« oder »Dampfablassen«. Es ist immer ein flehentlicher Hilferuf und sollte auch als solcher behandelt werden.

Wenn ein Baby die Windel voll hat, signalisiert das Schreien vielleicht nur Unwohlsein. Dabei handelt es sich nicht unbedingt um eine Notlage, und das dazugehörige Geschrei ist auch nicht so durchdringend wie ein Schmerzensschrei.

Wenn ein Baby Hunger hat, schreit es wahrscheinlich nach Nahrung und hört auch erst auf zu schreien, wenn es die Brust oder eine Flasche bekommt. Schwierigkeiten kann es geben, wenn das Baby vor lauter Schreien schon ganz außer sich ist. Es kann sich dann nicht innerhalb weniger Sekunden beruhigen und anfangen zu saugen. Zunächst muß es sich von der Anstrengung des Schreiens erholen. In diesem Fall sorgt zärtliches Liebkosen bestimmt für die notwendige Entspannung.

Manchmal stehen Eltern ihren schreienden Sprößlingen etwas ratlos gegenüber, weil sie schon fast alle Möglichkeiten durchprobiert haben und das Kind sich trotzdem nicht beruhigen will. Dabei vergessen sie, daß Babys sehr oft aus Einsamkeit schreien. Wenn ein Baby das Gefühl hat, von seinen Bezugspersonen allein gelassen zu sein, schreit es manchmal so lange, bis sie wieder ganz nah bei ihm sind. Babys, die zuviel allein sind, fühlen sich schutzlos und beruhigen sich oft erst wieder, wenn sie von ihren Eltern auf den Arm genommen werden. Dieses immer wiederkehrende Verlangen nach Gesellschaft mag den vielbeschäftigten Eltern von heute zuweilen lästig sein, doch das Bedürfnis nach unmittelbarer Nähe zu den Schutzpersonen wurde den Menschenbabys im Laufe der Evolutionsgeschichte fest einprogrammiert, und davon lassen sie sich auch nicht so leicht abbringen.

Auch Überreizung durch zuviel Licht oder Geräusche kann Babys so durcheinanderbringen, daß sie anfangen zu schreien. Dabei handelt es sich nicht um einen gewöhnlichen Schmerz, wie er beispielsweise bei einer körperlichen Verletzung entsteht, sondern um einen Sinnesschmerz, weil den Augen oder Ohren zuviel auf einmal zugemutet wurde. Babys können laute Geräusche und grelles Licht nicht ertragen, doch das wird viel zu oft vergessen. An sonnigen Tagen sieht man manchmal Eltern, die nicht verstehen können, warum ihre Babys schreien – obwohl sie selbst Sonnenbrillen tragen, ihren Babys aber keinerlei Schutz vor dem grellen Licht gewähren.

Langeweile ist ein Problem, das erst bei älteren Babys ab dem sechsten Lebensmonat auftritt. In diesem Fall ist das Geschrei häufig ein Hinweis darauf, daß die Kinder zuwenig Außenreize bekommen, denn es ist wichtig, daß das Umfeld des Babys auf die eine oder andere Weise stimulierend wirkt. Wenn die Eltern diese Funktion nicht selbst übernehmen können, braucht das Kind zumindest verschiedene Formen, Farben und Muster zur Befriedigung seiner Sinnesorgane.

Auch Frustration spielt erst bei älteren Babys eine Rolle. Sie fangen häufig an zu schreien, weil ihre Unbeweglichkeit und Hilflosigkeit sie daran hindern, ans Ziel ihrer Wünsche zu gelangen. Wenn sie irgend etwas ergattern wollen und dann feststellen müssen, daß ihre körperlichen Fähigkeiten dazu nicht ausreichen, brechen sie oft in Wutgeheul aus. Vielleicht wollen sie mit diesem Geschrei aber auch ihre Eltern auffordern, ihnen bei der Realisierung ihrer kleinen, selbstgesteckten Aufgaben (die für sie so ungeheuer wichtig sind) behilflich zu sein.

Bisher glaubte man, das Geschrei sei in allen sieben Situationen gleich, doch heute wissen wir, daß selbst relativ unerfahrene Mütter bestimmte Schreikategorien voneinander unterscheiden können. Anscheinend sind Mütter darauf programmiert. Vor allem der durchdringende Schmerzensschrei unterscheidet sich deutlich von allen anderen und ruft stärkere Reaktionen bei den Bezugspersonen hervor. Doch es ist nicht immer möglich, allein vom Klang her zu entscheiden, was dem Baby fehlt, und manchmal bleibt die Wurzel des Übels auch nach sorgfältiger Prüfung ein ewiges Geheimnis.

Eltern, die nicht herausfinden können, warum ihr Baby schreit, werden manchmal ziemlich nervös. Wenn Hunger, Schreck, Unbehagen und andere naheliegende Gründe schon ausgeschaltet wurden und das Baby trotzdem noch herzzerreißend schreit, sind die Eltern bald in einer ähnlich jammervollen Lage wie ihr Sprößling. Wenn das Baby überhaupt nicht aufhören will zu schreien, werden die Eltern oft so nervös, daß sich ihre Spannung auf das arme Baby überträgt, wodurch alles nur noch schlimmer wird. So entsteht ein Teufelskreis, in dem die Eltern fürchterlich leiden und die Babys unaufhörlich Notsignale aussenden.

Dieses Problem tritt häufig auf, wenn Babys sich zu stark von ihren Bezugspersonen isoliert fühlen. Die daraus entstehende Unsicherheit kann nur durch ruhigen, entspannten Körperkontakt behoben werden; wenn dieser Kontakt von einer angespannten, nervösen Person ausgeht, nutzt das dem armen Baby jedoch überhaupt nichts.

Viele Eltern haben keine Vorstellung davon, wie schnell sich ihre Erregung, Nervosität oder auch Ungeduld mittels Körpersprache auf ihr Kind übertragen kann. Babys haben gute Antennen und interpretieren schnelle, ruckartige Bewegungen ihrer Eltern sofort als Unsicherheit. Diese Signale bestätigen sie dann noch zusätzlich in ihrer mißlichen Lage, und das Geschrei nimmt eher zu als ab. Der nervöse Erwachsene muß also so tun, als wäre er völlig gelassen und ruhig. Das ist zwar alles andere als einfach, kann aber in kürzester Zeit wahre Wunder wirken.

Können Mütter ihre Babys am Geschrei erkennen?

Wenn ein Neugeborenes mitten in der Nacht anfängt zu schreien, wird seine Mutter von diesem Geräusch sehr schnell wach. Auch Mütter, die normalerweise sehr tief schlafen und schwer aufzuwecken sind, schrecken bei diesem Geräusch hoch und sind sofort hellwach. Reagieren sie dabei allgemein auf den Notruf eines Babys oder ganz speziell auf das Geschrei ihres eigenen Babys? Können sie ihr Baby am Geschrei erkennen?

Die meisten Mütter antworten auf diese Frage, daß sie es wahrscheinlich nicht können. Normalerweise befinden sich in einem Haushalt ja immer nur eine frischgebackene Mutter und ein Baby, und deshalb ist diese Frage schwer zu beantworten. In unseren modernen Wohnverhältnissen können Mütter solcherlei Fähigkeiten gar nicht mehr ausprobieren. Zu den Zeiten, als die Menschen noch in Stammesverbänden zusammenlebten, waren die Behausungen nicht so isoliert voneinander, und es war sehr wahrscheinlich, daß eine Mutter des Nachts mehrere Babys schreien hörte. Da war es dann sehr von Vorteil, wenn die Mütter ihre eigenen Sprößlinge erkennen konnten und auch nur auf Geschrei reagierten, das ihnen wichtig erschien. Ansonsten wären jedesmal alle Mütter aufgewacht, wenn eines der Neugeborenen nachts angefangen hätte zu jammern. Aber *konnten* sie es wirklich, und meinen heutige Mütter zu Unrecht, daß sie diese spezielle Fähigkeit nicht mehr besitzen?

Beobachter in Krankenhäusern stellten überrascht fest, daß schlafende Mütter tatsächlich stärker auf ihre eigenen Kinder zu reagieren scheinen. Mütter, die zusammen auf einem Zimmer lagen, meinten auch von sich aus, daß es wohl so eine Art persönliches Erkennen geben müsse. Sie fühlten sich stärker gestört, wenn ihr eigenes Baby schrie, und das wollte man dann einmal austesten. Das Geschrei der einzelnen Babys wurde auf Band aufgenommen und dann den schlafenden Müttern vorgespielt, um zu sehen, wie viele von ihnen aus dem Schlaf hochschrecken und wie viele friedlich weiterschlummern würden. Die Ergebnisse waren erstaunlich.

Schon nach drei Nächten waren 22 von 23 getesteten Müttern in der Lage, *im Schlaf* das Geschrei ihres eigenen Babys zu erkennen. Die Geräusche aller anderen Babys überhörten sie und schlummerten seelenruhig weiter, auch wenn die Kleinen noch so jämmerlich weinten. Doch sobald ihnen die Geräusche ihrer eigenen Babys zu Ohren kamen, waren sie in Sekundenschnelle hellwach. Manche Frauen vollbrachten diese außergewöhnliche Leistung sogar noch früher. Schon 48 Stunden nach der Geburt konnten 12 von 23 Müttern das Geschrei ihres eigenen Babys aus nicht weniger als 31 verschiedenen Menschenkindern heraushören.

Das bestätigt uns, daß Menschen diese erstaunliche Gabe tatsächlich besitzen. Es ist eine uralte Fähigkeit, die in jeder modernen Mutter steckt, auch wenn sie diese unter heutigen Lebensbedingungen vielleicht nicht mehr braucht.

Und das ist noch nicht einmal alles: Sie hat so sensible Antennen, daß sie auf die verschiedenen Geschreiarten ihres Babys unterschiedlich reagiert. Sie nimmt diese Unterschiede auch dann noch wahr, wenn sie gerade erst aus tiefstem Schlaf gerissen wurde. Wenn sie ihr eigenes Baby schreien hört, wacht sie zunächst einmal auf und findet dann sehr schnell heraus, um welche Art von Geschrei es sich handelt. Bei Schmerzensschreien reagiert sie blitzschnell − viel schneller als bei den anderen Arten. In letzterem Fall hört sie erst einmal eine Weile zu, bevor sie sich entschließt, aufzustehen und zu ihrem Baby zu gehen.

Bei allem Stolz darauf, daß unsere Spezies über die beeindruckende Fähigkeit verfügt, den eigenen Nachwuchs am Schreien sogar im Schlaf zu erkennen, dürfen wir doch nicht die Relation verlieren. Wären wir Königspinguine statt Menschen, hätten wir eine weitaus schwierigere Aufgabe zu bewältigen, denn jedesmal, wenn ein Pinguinelternteil mit einem Stückchen Futter zur Brutkolonie zurückkehrt, muß er sein Junges allein an der Stimme erkennen, und das bei einer riesigen Schar von Hunderten oder vielleicht Tausenden von flaumbedeckten Küken, die ansonsten fast identisch sind und alle hoffnungsfroh den Schnabel aufsperren. Was wir vollbringen, ist schon erstaunlich, doch was Pinguine leisten, ist schier unglaublich.

Wie kann man Babys trösten?

Wenn ein Baby Trost braucht, erzielt man die besten Erfolge mit Handlungen, die es symbolisch in den Mutterleib zurückversetzen. Das ist überhaupt nicht verwunderlich und hat auch keinerlei negativen Beigeschmack. Man »schwächt« ein Baby nicht dadurch, daß man es in seinem Unglück tröstet. Die Entwicklung des Kindes wird dadurch in keiner Weise verzögert, denn man hilft ihm lediglich über einen unglücklichen Moment hinweg. Je geborgener sich ein Baby fühlt und je mehr es in heiklen Augenblicken auf elterlichen Trost rechnen kann, desto mutiger wird es in streßloseren Zeiten sein. Strenge oder Härte ist bei Babys völlig unangebracht, denn dazu sind sie gar nicht reif genug. Wohlüberlegte Disziplinierungsmaßnahmen mögen bei älteren Kindern Erfolg haben, doch Babys sind für eine solche Behandlung einfach zu jung.

Im Bauch ist das Baby vom mütterlichen Körper umgeben: einer wohlig-weichen Umarmung aus Fleisch und Fruchtwasser. Wenn die Mutter geht, wird es sanft geschaukelt, und die ganze Zeit hört es das gedämpfte Geräusch ihres Herzschlags. Dieses Wissen kann man nach der Geburt dazu verwenden, dem Baby eine Erinnerung an sein verlorenes Paradies zu verschaffen. Eine mütterliche Umarmung, warme, weiche Kleidung, das sanfte Murmeln der mütterlichen Stimme, das rhythmische Schaukeln ihres Körpers − all diese Dinge können beim Baby tröstliche Empfindungen auslösen. Natürlich lassen sie jeweils nur einen kleinen Teil der allumfassenden Geborgenheit im Mutterleib wiederaufleben, doch das reicht oft schon aus, um unruhige oder schreiende Babys zu besänftigen.

Alle Mütter finden mit der Zeit entweder intuitiv oder durch

Erfahrung heraus, wie sie ihr Kind am besten trösten können. Bei manchen funktioniert es am besten, wenn sie ihr Baby an die Brust drücken und ihm leise etwas ins Ohr flüstern. Andere lösen das Problem, indem sie mit ihrem Kind auf und ab gehen und es dabei sanft schaukeln. Der größte Beruhigungseffekt wird immer dann erzielt, wenn die Handlungen gleichmäßig, sanft und rhythmisch ausgeführt werden. Das ist natürlich schwierig, wenn die Mutter selbst unter Spannung steht. Durch Nervosität und Streß versteift sich der Körper des Erwachsenen; sämtliche Handlungen werden ruckartig und verkrampft. Die Stimme wird schrill, die Bewegungen werden ungleichmäßig, und all diese Unruhefaktoren übertragen sich unweigerlich auf das Kind im Arm der Mutter. Manchmal kann man ein Baby ganz einfach dadurch beruhigen und trösten, daß man es jemand anderem übergibt, der entspannter ist und sich nicht so verkrampft bewegt – auch wenn diese Person, oberflächlich betrachtet, das gleiche tut (z. B. umarmen, schaukeln und festhalten). Für die gestreßte Mutter grenzt es natürlich an Beleidigung, wenn sich ihr Baby von anderen Leuten eher beruhigen läßt als von ihr. Doch die Botschaft ist klar: Wenn sie ihr Baby zur Ruhe bringen will, muß sie sich zuerst einmal selbst beruhigen. Babys können zwar nicht sprechen, doch sie sind über Berührungen sehr empfänglich für Körpersprache.

In Stammesgesellschaften werden die Babys die meiste Zeit am Körper getragen. In unseren modernen Gesellschaften lassen wir die Babys oft allein. Wir packen sie in Gitterbettchen, lassen sie im Kinderzimmer, legen sie in Kinderwagen und erwarten, daß sie fröhlich sind und möglichst wenig Ärger machen. Doch all diese Dinge können für Babys extrem langweilig sein, und den Verlust des Körperkontaktes empfinden sie als vollkommen unnatürlich. Sie wollen ganz nah bei ihrer Mutter sein und von ihr geknuddelt, getätschelt, gestreichelt und soviel wie möglich herumgetragen werden. Dann macht ihnen die bedrohliche Welt, in die sie hinausgeschickt wurden, gleich viel weniger Angst. Und sie geben sich alle Mühe, ihren Müttern diese Wünsche verständlich zu machen.

Manche Eltern sind zu den alten Traditionen zurückgekehrt und tragen ihre Kinder in »Bauchsäcken« mit sich herum. In diesen Tragetüchern oder Tragesitzen werden die Babys sanft an die Brust des Erwachsenen gedrückt, wo sie dann schlafen oder auch wach sein können, während die Eltern herumlaufen. Die Körperrhythmen, die diese glücklichen Babys miterleben dürfen, vermitteln ihnen eine ganz ursprüngliche Geborgenheit. Solche Kinder sind später dann besser in der Lage, mutig ihre Umwelt zu erforschen. Sie haben die Phase der Geborgenheit voll auskosten dürfen und sind aus ihr nicht etwa schwächer, sondern stärker hervorgegangen. Zukünftigen Herausforderungen können sie ganz ruhig ins Auge sehen.

Wenn Babys aus irgendwelchen Gründen länger allein bleiben müssen, als ihnen lieb ist, kann man ihnen für den fehlenden Mutterkontakt Ersatzobjekte anbieten. Kleine Schimpansen, die von ihren Müttern verlassen wurden und in Käfigen ohne mütterlichen Körper zum Anklammern aufwachsen müssen, trösten sich oft mit einer »Stoffmutter«, an der sie sich festhalten können. Viele Menschenkinder, die nicht genug Körperkontakt zu ihren Eltern haben, begnügen sich mit ähnlichen Ersatzobjekten.

Ein altbewährter Tröster ist auch die »künstliche Brustwarze«, eine Spezialanfertigung, die den Babys oft zum Nuckeln gegeben wird. Dem Baby wird vorgegaukelt, es könne an der Brust saugen, obwohl die Mutter gar nicht da ist. Anscheinend vermittelt allein die orale Befriedigung schon das Gefühl, dem schützenden Körper der Mutter nahe zu sein. Über das Für und Wider solcher Ersatzobjekte streiten sich die Geister schon seit langem, doch im Endeffekt kommt es nur darauf an, ob das Baby zufrieden ist oder nicht. Wenn ausreichend Körperkontakt zur Mutter besteht, sind Schmusetücher und Schnuller überflüssig. Doch wenn es einer Mutter aus irgendwelchen sozialen oder familiären Gründen nicht möglich ist, ihrem Baby genügend Kontakt zu gewähren, ist es auf jeden Fall besser, Ersatzobjekte zu benutzen, als das Gejammer eines unzufriedenen Babys zu ertragen. Am wohlsten fühlen sich immer die Babys, denen zur Erkundung ihrer neuen Umgebung eine sichere Basis zur Verfügung steht, damit sie sich ruhig und entspannt ihren Forschungsaufgaben widmen können. Nur zufriedene Babys entwickeln einen gesunden Forschungsdrang.

Warum weinen Babys?

Neugeborene Babys schreien, aber sie weinen nicht. Schreien ist das Hervorbringen eines lauten Notrufes, während beim Weinen gut sichtbare Tränen die Wangen herunterkullern. Es ist ein visuelles Signal, das die Eltern veranlaßt, die Tränen zu trocknen und das Baby zu trösten. Bei einer Untersuchung an 1250 Babys stellte sich heraus, daß in den ersten fünf Lebenstagen nur 13 Prozent der Säuglinge weinen konnten. Die meisten brauchen ungefähr drei Wochen dazu, und einige weinen erst im Alter von vier oder sogar fünf Monaten. Das Schreien ist also ganz eindeutig eine ältere Reaktionsweise als das Weinen.

Das Interessanteste am Weinen ist, daß Menschen (mit Ausnahme von Elefanten) die einzigen Landsäugetiere sind, die in Momenten emotionaler Erregung dicke Tränen vergießen. Bei jungen Schimpansen glänzen die Augen, wenn sie vor Wut oder Angst schreien, aber auf ihren behaarten Wangen ist keine Spur von Tränen zu erkennen. Wenn ein Mensch richtig weint, fließen Tränen über sein Gesicht und kullern die nackten Wangen herunter. Im Laufe eines emotionsarmen Jahres produzieren wir schon etwa vier Liter Tränenflüssigkeit, und wenn wir in konfliktreichen, schwierigen Jahren wiederholt und länger anhaltend in Tränen ausbrechen, ist die Menge um ein Vielfaches größer. Diese Art zu weinen ist eine ganz außergewöhnliche menschliche Reaktion, die eigenartigerweise noch kaum untersucht wurde.

Zwei Fragen stehen dabei im Vordergrund: Warum weinen Menschenbabys, und warum weinen die Babys anderer Landsäugetiere nicht?

Gewöhnliche Tränen, die von den Tränendrüsen direkt über

dem Auge produziert werden, dienen der Benetzung und Reinigung der Augenoberfläche. Das Zwinkern mit den Augenlidern verteilt die Tränenflüssigkeit über die Hornhaut. »Gebrauchte« Tränen werden durch Tränenkanäle in den Augenwinkeln abgeleitet und regelmäßig durch neue Tränen von oben ersetzt. Unter normalen Bedingungen halten sich Produktion und Ableitung von Tränenflüssigkeit die Waage, und es ist immer gerade genug Flüssigkeit vorhanden, um die Hornhautoberfläche feucht zu halten. Wenn uns Staub ins Auge weht, wird die Tränenproduktion angeregt, und wir fangen vielleicht ein bißchen an zu weinen, weil die Tränendrüsen versuchen, den Schmutz wegzuspülen. Auch in Momenten emotionaler Erregung produzieren wir ein Übermaß an Tränen, und das in geradezu dramatischen Ausmaßen. Wenn die Tränenkanäle die produzierte Flüssigkeitsmenge nicht mehr bewältigen können, quellen die Tränen aus den Augen hervor, ergießen sich über die Wangen und kullern schließlich am ganzen Körper herunter.

Die chemische Analyse der Tränenflüssigkeit hat zwei interessante Dinge ans Tageslicht gebracht. Erstens enthalten Tränen ein bakterientötendes Enzym namens Lysozym, das bei der Verhinderung von Augeninfektionen eine wichtige Rolle spielt. Ohne dieses Enzym wären die Augen höchst anfällig für vielerlei Krankheiten. Doch zum Schutz der kostbaren Hornhautoberfläche würde bereits die normale Tränensekretion ausreichen, die wir Tag für Tag produzieren. Zur Erfüllung dieser Routinetätigkeit ist das Weinen also nicht erforderlich. Zweitens haben die Tränen, die in Momenten intensiver Gemütsempfindungen reichlich produziert werden, eine andere chemische Zusammensetzung als normale Tränen. Wenn wir emotional erregt sind, entsteht in unserem Körper anscheinend unwillkürlich ein Überschuß an Streßhormonen. Führt unser Leid zu intensiver körperlicher Betätigung wie Kampf oder Flucht, werden die Streßhormone verbraucht. Handelt es sich bei unserem Kummer jedoch um einen Konflikt, der uns zwar sehr erregt, bei dem wir uns aber nicht bewegen, so kreisen die überschüssigen chemischen Substanzen in unserem Körper herum. Durch ausgiebiges Weinen können sie ausgeschieden werden, und danach geht es uns dann wieder besser.

Das Hauptmerkmal eines typischen Gefühlskonfliktes ist, daß wir zwei verschiedene Dinge gleichzeitig tun wollen. Diese Zwickmühle macht es unmöglich, einem der beiden Impulse zu gehorchen. Wir treten ohnmächtig auf der Stelle, reißen uns im übertragenen Sinne oder auch tatsächlich die Haare aus und strapazieren unsere Gehirnwindungen, bis es zur Qual wird. Wenn wir zu diesem Zeitpunkt in Tränen ausbrechen, können wir uns von den Streßhormonen, die sich in unserem Körper angesammelt haben, teilweise wieder befreien, und einige Experten sind der Meinung, daß sich das merkwürdige Phänomen des Weinens auf diese Weise erklären läßt. Wenn wir Staub ins Auge bekommen, produzieren wir, chemisch gesehen, eine ganz andere Art von Tränen als in Momenten intensiver Gemütsempfindungen, denn die »Staubtränen« enthalten keinerlei Streßhormone.

Das Problem bei dieser Theorie ist, daß kleine Schimpansen ihre Streßhormone eigentlich genauso dringend wegweinen müßten wie Menschenbabys. Aber sie weinen nicht. Das einzige Argument, das da zur Verteidigung der Streßtheorie noch bleibt, ist, daß Menschenbabys wahrscheinlich mehr Grund zum Weinen haben als Schimpansenbabys. Wenn wir die hilflosen Menschenbabys mit den beweglichen, am Fell der Mutter hängenden Affenkindern vergleichen, erscheint dieser Gedanke gar nicht so abwegig.

Es gibt aber noch eine zweite Erklärung dafür, warum Menschenbabys weinen: Es ist ein deutlich sichtbares Signal. Affen haben Haare auf den Wangen, in denen die Tränen sangund klanglos verschwinden würden. Die nackten Gesichter der Menschenbabys hingegen sind bestens dafür geeignet, auffällig glitzernde Rinnsale von den Augenrändern herabfließen zu lassen. Man könnte meinen, die Babys wollten sich selbst »beschmutzen« und damit in ihren Müttern das dringende Bedürfnis wecken, die Tränen zu trocknen und die Haut zu säubern. Der Wunsch, das Baby sauberzuhalten, ist den Menschenmüttern nämlich angeboren, und deshalb lösen herunterkullernde Tränen auch automatisch eine fürsorgliche, tröstende Reaktion aus. Die kleinen Babygesichter werden zärtlich abgewischt und getrocknet. So kommen die Mütter unweigerlich in engen, liebevollen Kontakt mit ihren Babys, und das ist wahrscheinlich genau das, was die Kleinen wollen, wenn in emotionsgeladenen Momenten Sturzbäche von Tränen über ihre Wangen laufen. Diese und die vorangegangene Erklärung schließen sich natürlich nicht gegenseitig aus — wenn beide richtig sind, erfüllt das Weinen unglücklicher Babys eine Doppelfunktion.

Warum lächeln Babys?

D as Attraktivste an einem Baby ist sein Lächeln. Es ist ein unvergeßlicher Augenblick für alle Eltern, wenn der winzige Kindermund sich zum erstenmal zu einem strahlenden Lächeln verzieht. Doch wann genau passiert das, und wodurch wird es ausgelöst?

Über den Zeitpunkt des ersten Lächelns gibt es verschiedene Ansichten, weil sich auf dem Babygesicht schon ziemlich früh ein flüchtiger Vorläufer des richtigen, breiten Grinsens zeigt. Das kindliche Lächeln wird in drei Stufen eingeteilt. Zuerst kommt das Vorlächeln oder *Reflexlächeln,* dann das unspezifische oder *allgemeine Lächeln* und schließlich das selektive oder *spezifische Lächeln.* Und in allen drei Fällen lächelt das Baby aus unterschiedlichen Anlässen.

Ungewöhnlich aufmerksame Beobachter wollen das *Reflexlächeln* bereits drei Tage nach der Geburt bemerkt haben. Es tritt dann bis zum Ende des ersten Monats immer wieder auf. Da es von kurzer Dauer und nicht sehr gut entwickelt ist, kann man es kaum als richtiges Lächeln bezeichnen, doch es ist mit großer Wahrscheinlichkeit der Vorläufer des breiten Grinsens, das später folgt. Ausgelöst wird es meistens durch den Klang einer hohen Stimme (fast immer die der Mutter), durch Kitzeln und durch Blähungen nach den Mahlzeiten. Im Fall der Blähungen könnte man noch von Zufall sprechen, aber wenn das Baby auf eine Stimme oder auf Kitzeln mit Lächeln reagiert, stimmt diese Erklärung schon nicht mehr. Da scheint es dann eher eine Art »Überraschungsreaktion« zu sein − eine abgeschwächte Schreckreaktion. Das Baby zuckt nicht zusammen wie bei einem richtigen Schreck, doch das Lächeln läßt auf ein »leichtes Erschrecken« schließen. Und das wiederum paßt genau zu unserer Theorie über den Ursprung des Lächelns. Jeder Gesichtsausdruck, bei dem die Mundwinkel zurückgezogen werden, enthält nämlich ein Element von Furcht, das beim Lächeln allerdings nicht sehr ausgeprägt ist. Durch das Hochziehen kommt den zurückgezogenen Mundwinkeln sofort eine ganz andere Bedeutung zu. Das Schreien haben wir mit den Affen und Menschenaffen gemeinsam, doch das Lächeln ist einzigartig für unsere Spezies. Es ist weltweit zum freundlichen Begrüßungssignal unter Menschen geworden, doch ursprünglich enthielt es eine gewisse Spur von Angst. Das sieht man allein schon daran, daß einer der frühesten Auslöser menschlichen Lächelns das Kitzeln ist. Kitzeln macht zwar Spaß, aber es schwingt auch immer die versteckte Sorge mit, daß es irgendwann zuviel werden könnte. Kippt das Gefühl vielleicht an einem bestimmten Punkt um? Daher das Lächeln.

Das *allgemeine Lächeln* tritt ungefähr mit vier Wochen zum erstenmal auf. Dies ist schon ein echtes Begrüßungslächeln. Es dauert immer länger, wird immer breiter und läßt gleichzeitig auch die großen Augen erstrahlen. Das ganze Gesicht lächelt die erfreuten Eltern an. Als Auslöser für dieses voll entwickelte Lächeln spielt die elterliche Stimme zwar immer noch eine Rolle, doch wichtiger ist von nun an, daß im Blickfeld des Babys ein Erwachsenengesicht auftaucht. In dieser Phase denken Eltern oft, ihr Baby würde ganz speziell nur sie anlächeln, doch es kann gut sein, daß es auf jedes andere Erwachsenengesicht in seiner Nähe genauso reagiert. Dies ist die unspezifische Phase des Lächelns. Die Reaktion ist reifer und besser entwickelt, aber das Baby kann die verschiedenen Stimuli noch nicht voneinander unterscheiden. Das kommt erst in der dritten Phase.

Das *spezifische Lächeln* tritt erst sehr viel später auf. Die Premiere findet irgendwann zwischen dem vierten und dem siebten Lebensmonat statt, meistens im Alter von fünf bis sechs Monaten. Genau wie das allgemeine Lächeln ist es gut entwickelt und sehr ausdrucksvoll, was auf den Betrachter natürlich ungemein fröhlich wirkt. Das Gesicht des Babys allein gibt kaum Aufschluß darüber, um welche Art von Lächeln es sich handelt. Die entscheidende Frage ist, an wen das Lächeln gerichtet ist. Mit einem allgemeinen Lächeln kann jedermann bedacht werden, wohingegen die Ehre eines spezifischen Lächelns den Bezugspersonen − Menschen, die das Baby sehr gut kennt − vorbehalten bleibt. Fremde, die das Baby noch wenige Wochen zuvor in aller Ruhe betrachten konnten und für ihr Interesse sogar noch mit einem breiten Lächeln belohnt wurden, müssen nun entsetzt feststellen, daß ihre Annäherungsversuche plötzlich mit lautem Geschrei quittiert werden. Jetzt erkennt das Baby die Gesichter seiner Eltern und sortiert alle anderen aus. Das Lächeln ist von jetzt an ein ganz persönlicher Gruß, wodurch sich Vater und Mutter natürlich ganz besonders geehrt fühlen. Sie gehören zu einem exklusiven Club, in dem Fremde nicht mehr willkommen sind.

Es gibt natürlich noch eine vierte Stufe des Lächelns − das aufgesetzte Lächeln des Erwachsenen, aber das würde in diesem Zusammenhang zu weit führen. Es sei nur angemerkt, daß im Erwachsenenalter wieder eine allgemeinere Art des Lächelns gebräuchlich ist: das offizielle Lächeln, wenn wir jemandem Sympathie bekunden müssen, ganz gleich, was wir in Wirklichkeit von ihm halten. Wenn wir als Erwachsene eine fremde Person anlächeln, dann tun wir es mit Absicht, aus gesellschaftlichen Gründen. In solchen Momenten benutzen wir das Lächeln als förmliche Begrüßung − eine menschliche Beschwichtigungszeremonie, die besagt: »Ich bin nicht aggressiv, ich komme als Freund.« Doch solche Raffinessen sind dem Baby völlig fremd. Babys lächeln nur Menschen an, die sie kennen und mögen, und leisten sich köstliche diplomatische Pannen, wenn sie beim Anblick fremder Personen (auch wenn sie noch so wichtig sind) das Gesicht verziehen und anfangen zu schreien. Aufgrund dieser absoluten Unbestechlichkeit ist das spezifische Lächeln natürlich eine riesengroße Belohnung für die geliebten Eltern.

Manche Eltern glauben, sie müßten mit gutem Beispiel vorangehen, damit ihre Babys lächeln lernen. Sie verbringen viel Zeit mit intensivem Blickkontakt, gegenseitigem Anlächeln und zärtlichen Worten und sind sehr erstaunt, wenn sie irgendwann erfahren, daß ihr Baby sowieso zu gegebener Zeit angefangen hätten, zu lächeln, auch ohne elterliche Hilfestellung. Selbst wenn sie sich ihren Babys immer nur mit versteinerter Miene genähert hätten, wäre das Lächeln unweigerlich nach Zeitplan aufgetreten. Es ist kein angelerntes Verhalten, denn es ist viel zu wichtig, als daß man es dem Zufall überlassen könnte. Es ist vielmehr ein tief verwurzelter, angeborener Gesichtsausdruck unserer Spezies, und selbst blind geborene Babys, die nie ein Lächeln gesehen haben, fangen nach vier Wochen an zu lächeln.

Heißt das nun, daß das ganze Lächeln und Plappern der Eltern reine Zeitverschwendung war? Nein, sicherlich nicht. Es ist wichtig für die Eltern, denn es hilft ihnen, eine engere Beziehung zu ihrem Kind aufzubauen. Und es ist wichtig für das Baby, denn so kann es ganz allmählich seine Eltern kennenlernen und sie im Alter von fünf bis sechs Monaten mit einem spezifischen Lächeln beglücken. Und drittens geht aus Untersuchungen an blind geborenen Babys hervor, daß ihr Lächeln zwar angeboren ist, sich aber nie voll entwickelt. Sie lächeln weniger, und da sie kein visuelles Feedback von ihren Eltern bekommen, geht es im Laufe der Wochen immer mehr zurück. Im Gegensatz dazu lächeln Babys, die viel liebevolle Zuwendung erfahren und oft von ihren Eltern angelächelt werden, mit der Zeit immer mehr und immer länger. Für diese Glücklichen wird das Lächeln zur wertvollsten Kommunikationsform, bevor sie anfangen zu sprechen. Aber auch nach dem Erlernen der Sprache behält das menschliche Lächeln noch seine lebenswichtige soziale Funktion. Während der Babyzeit ist es allerdings am wichtigsten.

Der Grund dafür, daß wir lächeln und Affen und Menschenaffen nicht, ist ganz einfach der, daß sie Fell haben und wir nicht. Schreien und Kreischen haben wir mit ihnen gemeinsam. Diese Signale machen Menschen- und Affeneltern gleichermaßen darauf aufmerksam, daß sich ihr Nachwuchs in einer Notlage befindet. Sie eilen dann sofort zu Hilfe. Sobald die Eltern da sind, schlingt das Affenbaby seine Arme um den haarigen Körper seiner Mutter und klammert sich mit aller Kraft fest. Dieses Anklammern garantiert ihm, daß es in der Nähe der schützenden Mutter bleiben kann. Das Menschenbaby hingegen hat diese Möglichkeit nicht. Auch wenn es die Eltern durch sein Geschrei herbeigerufen hat, kann es sich nicht so fest anklammern, daß die Eltern in seiner Nähe bleiben. Es braucht also etwas anderes — etwas, das auf die Eltern so anziehend wirkt, daß sie sich nicht so einfach wieder davonstehlen können —, und dieses Etwas ist ihr kindliches Lächeln. Das unwiderstehliche Lächeln eines Menschenbabys kann eine ähnlich feste Verbindung zu den liebenden Eltern herstellen wie das Anklammern an ein Fell. Und das ist auch seine Hauptfunktion. Wollen wir also die eingangs gestellte Frage beantworten, warum ein Baby lächelt, dann müssen wir sagen, daß es dem Bedürfnis entspringt, so attraktiv auf die Eltern zu wirken, daß sie eben doch ein bißchen länger als unbedingt nötig bei ihm verweilen...

Warum lachen Babys?

D as Beobachten von Babys bringt manchmal Erkenntnisse mit sich, die man gar nicht erwartet hätte. So lernt man beispielsweise durch die Beschäftigung mit kindlichem Verhalten auch so einiges über die Verhaltensmuster von Erwachsenen. Über den menschlichen Humor und das Lachen haben sich schon viele Denker den Kopf zerbrochen, und es wurde schon heftig darüber gestritten, was denn nun eigentlich wirklich witzig sei. Diese Debatten hätte man sich sparen können, denn das erste Lachen eines Babys erklärt alles.

Der große Moment ereignet sich irgendwann im vierten oder fünften Lebensmonat und fällt genau in die Zeit, in der das Baby lernt, seine Mutter von anderen Personen zu unterscheiden. Die Mutter tut irgend etwas, und plötzlich fängt das Baby an zu glucksen. Es hat zum erstenmal in seinem Leben gelacht. Die Mutter freut sich darüber und wiederholt die Handlung. Das Baby fängt erneut an zu lachen und schaut seiner Mutter dabei freudestrahlend ins Gesicht. Doch wodurch wurde diese Reaktion nun eigentlich ausgelöst, und was hat sie mit dem Lachen der Erwachsenen zu tun?

Es gibt mehrere Möglichkeiten. Manchmal ist das erste Lachen zu hören, wenn die Mutter mit ihrem Kind »Hoppe-Hoppe-Reiter« spielt; oder wenn sie sich an das Baby heranschleicht, eine Grimasse schneidet und »Buh!« macht; oder wenn sie so tut, als wolle sie das Baby fallen lassen und es dann schnell wieder auffängt und an sich drückt; oder wenn sie ihren Mund an die Wange des Babys legt, die Backen aufbläst und losprustet; oder wenn sie plötzlich aus einem Versteck hervorspringt; oder wenn sie vor dem Baby laut in die Hände klatscht; oder wenn sie das Baby hoch in die Luft hebt und hin und her schaukelt.

Was haben nun all diese Aktionen gemeinsam? Die Antwort wird klar, wenn man einmal eine dieser Handlungen übertreibt und das Baby Angst bekommt. Da geht das freudige Glucksen plötzlich in Heulen und Schreien über. Wird das Kind anschließend in den Arm genommen und gestreichelt, beruhigt es sich sehr schnell wieder und fängt wahrscheinlich schon bald wieder an zu lachen, wenn man das Spiel beim nächsten Mal ein bißchen vorsichtiger angeht. Daran läßt sich erkennen, daß Lachen und Schreien sehr nah miteinander verwandt sind, und die alte Redewendung »Ich habe geschrien vor Lachen« trifft auch schon auf Babys zu. Das Lachen ist nämlich ein Mittelding zwischen einem lauten Schrei und dem leisen Glucksen, das wir von glücklichen, zufriedenen, entspannten Babys her kennen.

Wenn man sich die »Struktur« des Lachens einmal genau anhört, wird man feststellen, daß es aus einzelnen Abschnitten besteht: rhythmisch aufeinanderfolgenden kurzen Atemstößen, die sich wie ein in Staccatostücke zerhackter Schrei anhören. Das Baby will anfangen zu schreien, spürt aber gleichzeitig, daß richtiges Schreien fehl am Platze wäre. Bei all den oben erwähnten Spielchen jagt die Mutter ihrem Kind nämlich einen liebevollen Schreck ein. Sie spielt die Wilde und wird plötzlich wieder zahm. Oder sie macht dem Baby ein wenig Angst und hört jäh wieder auf. Durch diese Handlungen versetzt sie das Baby für den Bruchteil einer Sekunde in Alarmbereitschaft. Das Kind spürt die Gefahr – daß es geschlagen, angesprungen, heruntergeworfen oder losgelassen werden soll – und will vor Angst anfangen zu schreien, doch irgend etwas sagt ihm, daß alles in Ordnung ist, daß keine echte Gefahr besteht und alles nur Spaß ist.

Das Baby kann an mehreren Kriterien ablesen, daß die Bedrohung harmlos ist: 1) Die Aktion wird plötzlich abgebrochen. 2) Die angstauslösende Person ist seine Mutter, die mittlerweile als Beschützerin erkannt wurde und von daher absolut vertrauenswürdig ist. 3) Die Mutter lacht, also ist sie dem Baby trotz ihrer offensichtlichen Grobheit freundlich gesonnen. Die zugrundeliegende Botschaft ist letztendlich immer die gleiche: Dies ist eine Bedrohung, die gar keine ist. Du wirst dich erschrecken, aber du kannst dich trotzdem in Sicherheit wiegen, weil die Gefahr von deiner geliebten Beschützerin ausgeht. Babys merken recht schnell, daß Lachen guttut. Das wiederholte Entdecken von Gefahren, die gar keine sind, von Bedrohungen, die nicht ernst zu nehmen sind, verschafft ihnen immer wieder eine solche Erleichterung, daß sie eine ganz besondere Art von Freude kennenlernen: die Freude darüber, daß eine Angst unbegründet ist. Und das ist auch das ganze Geheimnis des Erwachsenenhumors — die Babys haben uns auf die richtige Fährte gebracht. Auch die Verbalattacken professioneller Komiker operieren im Grunde genommen mit unserer Angst, und wir können uns nur deshalb amüsieren, weil wir wissen, daß der Mann auf der Bühne kein echter Polizist oder Politiker ist, sondern eben nur ein Clown oder Komiker. Wir haben unseren Spaß an der Widersprüchlichkeit der Signale, an der Unsicherheit, die eigentlich gar keine ist.

Nach dieser Interpretation wird klar, warum Babys erst lachen, wenn sie ihre Mutter von anderen Menschen unterscheiden können. Sie müssen erkennen können, daß die Urheberin der angsteinflößenden Handlung ihre liebevolle Beschützerin ist. Wie ich schon früher einmal sagte: Ein Kind, das den eigenen Vater erkennt, mag ein kluges Kind sein. Aber ein lachendes Kind erkennt seine Mutter.

Wie saugen Babys?

Die erste wichtige Handlung eines Neugeborenen ist das Saugen an der Mutterbrust. Wenn es gleich nach der Geburt angelegt wird, kommt es in den Genuß der wertvollen »Vormilch«, auch Kolostrum genannt, einer gelblichen Flüssigkeit mit vielen Proteinen und Antikörpern, die vor Infektionen schützen. Wenn der Schutz nach drei Monaten nachläßt, hat das Baby genug eigene Abwehrkräfte entwickelt.

Etwa drei Tage nach der Geburt beginnen die Brüste mit der Produktion der richtigen Milch, die das Baby in den darauffolgenden Monaten ernähren wird. Sie enthält doppelt soviel Fett und Zucker wie die Vormilch und ist eine vollwertige Nahrung, mit der das Neugeborene schnell heranwachsen kann.

Die Saugbewegungen, die zur Erlangung dieser lebenswichtigen Flüssigkeit ausgeführt werden müssen, sind dem Baby nicht ganz neu. Mit Hilfe moderner Geräte hat man festgestellt, daß oft schon im Mutterleib genuckelt wird. Viele Föten kann man in den letzten Wochen vor der Geburt an ihren Fingern saugen sehen, manchmal sogar so intensiv, daß sie Saugblasen an den Händen bekommen. Offensichtlich sind Menschenkinder schon sehr früh auf Saugen programmiert, denn diese Fertigkeit sichert ihr späteres Überleben.

Wie sieht dieses sogenannte »Saugen« nun im einzelnen aus? Handelt es sich tatsächlich um den gleichen Bewegungsablauf wie beim Trinken durch einen Strohhalm? Wenn man beim Stillen einmal genauer hinschaut, wird man feststellen, daß der Babymund eigentlich mehr melkt als saugt. An der Brustwarze selbst wird überhaupt nicht gesaugt, sie dient lediglich als Mundstück. Das Baby nimmt den ganzen Warzenhof in den Mund und drückt ihn rhythmisch mit Kiefern und Zunge zusammen. So wird die Milch durch die Brustwarze gepreßt, die sehr weit in den Mund des Säuglings hineinragt. Diese Kombination aus Melken und kraftvollem Schlucken hat denselben Effekt wie das Saugen Erwachsener, und die Flüssigkeit wird dementsprechend schnell aufgenommen. Manchmal ist die Brust so voll, daß das Baby zu schnell trinkt und dann einen Teil der Milch wieder ausspuckt.

Unerfahrenen Müttern gelingt es manchmal trotz aller Bemühungen nicht, ihr Baby zum Saugen zu veranlassen. Sie versuchen, dem ahnungslosen Baby die Brustwarze in den Mund zu zwängen und wundern sich, daß ihr Kind sich dagegen wehrt. Das liegt daran, daß sie den ersten Schritt vergessen haben, denn das Baby muß die Brust erst einmal suchen. Diese Suchreaktion wird dadurch ausgelöst, daß die Wange des Babys mit der Brustwarze oder der Brust selbst in Berührung kommt. Ein sanft streichelnder Finger hat den gleichen Effekt. Das Baby dreht dann reflexartig den Kopf zur Seite und spitzt die Lippen. Wenn die Mutter ihr Kind in dieser Weise auf das Stillen vorbereitet, wird es bereitwilligst die Brustwarze in den Mund nehmen.

Nach dem Ansaugen schließen die meisten Neugeborenen ihre Augen. Sie schalten so alle visuellen Signale aus und geben sich voll und ganz der weichen Berührung und dem Genuß des Trinkens hin. Wahrscheinlich können sie sich in diesem zarten Alter noch nicht auf zwei Dinge gleichzeitig konzentrieren. Ungefähr im dritten Monat schaut das Baby beim Stillen schon mehr herum, doch dazu muß es in Etappen trinken. Es kann nur abwechselnd saugen und die Mutter anschauen. Kurz darauf kann es dann auch gleichzeitig trinken und schauen, und durch diesen intensiven Blickkontakt beim Stillen wird die Mutter-Kind-Beziehung nachhaltig gefestigt.

Einige Mütter mit sehr vollen, runden Brüsten meinen, daß ihr Baby sich gegen das Saugen wehrt. Und es sieht tatsächlich manchmal so aus, als ob das Baby mit dem Busen kämpfen würde, doch in Wirklichkeit ringt es in solchen Momenten einfach nur nach Luft. Es will trinken, aber bevor es dazu kommt, hat sich die prall gefüllte Brust schon vor seine Nase gelegt, und da der Mund von der Brustwarze blockiert ist, bleibt ihm buchstäblich die Luft weg. In diesem Fall müssen die Mütter besonders darauf achten, daß sie ihr Baby richtig anlegen, damit es beim Trinken möglichst frei atmen kann.

Die volle runde Brust scheint zum Stillen nicht sonderlich geeignet zu sein, denn die Sauger der Nuckelflaschen weisen eine ganz andere Form auf. Diese künstlichen Brustwarzen sind viel länger und dünner als die echten und bereiten den Babys auch wesentlich weniger Schwierigkeiten beim Trinken. Aber warum hat dann die Evolution nicht dafür gesorgt, daß die echten Brustwarzen auch diese ideale Form annehmen? Die langen Brustwarzen der Affenmütter zum Beispiel scheinen ja sehr viel praktischer zu sein.

Wahrscheinlich liegt es daran, daß die Brüste des Menschenweibchens zwei verschiedene Aufgaben zu erfüllen haben, denn sie müssen nicht nur Milch produzieren und liefern, sondern sollen auch sexuell anregend wirken. Sie bestehen aus Fett- und Drüsengewebe, wobei das Fettgewebe für die rundliche Form und das Drüsengewebe für die Milchproduktion zuständig ist. Ohne das Fettgewebe wären nichtstillende Frauen absolut flachbrüstig. So verhält es sich zum Beispiel bei den Affen- und Menschenaffenweibchen, deren Brüste nur anschwellen, wenn sie voller Milch sind. Bei den Menschenweibchen sind die Brüste jedoch vom Ende der Pubertät bis ins hohe Alter geschwollen, auch wenn sie nie Kinder bekommen haben, und der rundlichen Form ihres Busens kommt während des ganzen Erwachsenenalters eine besondere sexuelle Funktion zu. Aufgrund dieser sexuellen Funktion klappt es mit der Milchlieferung bei den Menschenweibchen nicht immer ganz so, wie es sein sollte. Die Halbkugelform des Busens verhindert zeitweilig, daß die Brustwarze bis an den Gaumen des Babys reicht, und manche Säuglinge drücken ihr kleines Gesicht dann so verzweifelt in den runden Busen hinein, daß ihre Nase im Fleisch versinkt und ihnen tatsächlich die Luft wegbleibt.

Erfahrene Mütter lösen das Atemproblem ihrer hungrigen Säuglinge ganz einfach dadurch, daß sie den Busen mit dem Finger ein wenig zur Seite drücken. Die Tatsache, daß solcherlei Maßnahmen überhaupt notwendig sind, unterstreicht noch einmal die Doppelfunktion der weiblichen Brust.

Wie oft sollen Babys trinken?

Wenn sich früher eine frischgebackene Mutter erkundigte, wie oft ihr Baby trinken sollte, wurde ihr meist ein bestimmter Zeitplan vorgegeben. Die einen meinten, Neugeborene sollten alle anderthalb Stunden trinken, die anderen waren eher für einen Zwei-Stunden-Rhythmus, und die nächsten empfahlen einen Abstand von zweieinhalb Stunden. Im Laufe der Wochen sollte der Zeitraum dann langsam auf drei und vier Stunden ausgeweitet werden. Als nächstes sollten dann die nächtlichen Mahlzeiten wegfallen, damit das Kind sich besser an den Tag-Nacht-Rhythmus der Erwachsenen gewöhnte. Aber es wurden nicht nur die Abstände zwischen den Mahlzeiten festgelegt; den Müttern wurde zeitweise auch nachdrücklich empfohlen, ihre Kinder ganz einfach zu überhören, wenn sie außerplanmäßig nach Nahrung schrien. Manche Mütter vertrauten diesen Experten so blindlings, daß sie sich peinlich genau an deren strenge Vorgaben hielten, auch wenn ihnen bei diesem harten Umgang mit ihren Kindern fast das Herz brach.

Diese planmäßige Art der Säuglingsfütterung war zu Anfang unseres Jahrhunderts ganz groß in Mode, verlor allerdings im Laufe der letzten Jahrzehnte zusehends an Bedeutung. Immer mehr Mütter wehren sich gegen diese Tyrannei und lassen ihren natürlichen mütterlichen Gefühlen freien Lauf. Sie füttern ihre Babys nicht nach Plan, sondern nach Bedarf, was eigentlich selbstverständlich sein sollte. So haben es die Mütter vergangener Zeiten jahrtausendelang praktiziert, bis dann irgendwelche Experten mit sorgfältig ausgearbeiteten Zeitplänen daherkamen. Die Säuglinge unserer Urahnen wurden Tag und Nacht nach Bedarf gestillt, und in sogenannten primitiven

Gesellschaften ist es heute noch so. Dort haben die Säuglinge während der ersten Lebenswochen fast ununterbrochen Kontakt zu ihren Müttern, und das Stillen findet zu jeder Zeit und in einer Atmosphäre völliger Entspanntheit statt. Da wird nicht auf die Uhr geschaut.

Diese natürliche Methode, das sogenannte Füttern nach Bedarf, hört sich für heutige Mütter im ersten Moment nach einer ungeheuren Belastung an, aber sie sollten es trotzdem einmal ausprobieren. Wenn die Mütter ihre Neugeborenen Tag und Nacht bei sich behalten und nach Bedarf stillen, wirkt sich das häufige, kurze Anlegen günstig auf die mütterliche Brust aus. Das Stillen wird einfacher, und die Brüste funktionieren so, wie es von Natur aus vorgesehen ist. Die Brust kann sich nicht verhärten, weil sie immer wieder geleert wird, und der Säugling wird auch nicht von Milchfluten aus einem überfüllten Busen überschwemmt. Wenn das Baby seltener und nach einem festgelegten Plan gestillt wird, kann es passieren, daß der Busen zu voll ist und das Baby so viel trinkt, daß es später einen Großteil wieder ausspuckt.

Ein zweiter Vorteil ist, daß das Baby nur so lange trinkt, wie es mag, weil es durch das häufigere Anlegen nie total ausgehungert ist. Wenn ein Säugling hingegen auf seine Mahlzeiten warten muß, nuckelt er manchmal auch noch am leeren Busen weiter, und das wiederum schadet der Brust und läßt die Brustwarzen rissig werden. Dadurch kann das Stillen zu einem recht unangenehmen Erlebnis werden, und manche Mütter glauben in einem solchen Fall, sie hätten nicht genug Milch.

Beim selteneren Anlegen nach Plan wird das Baby anfangs schier überschwemmt von der angestauten Milch, doch letztendlich reicht die Menge nicht aus. Wird es dagegen häufiger und nach Bedarf angelegt, produzieren die Brüste insgesamt mehr Milch, und der Busen ist nie unangenehm prall. Angebot und Nachfrage halten sich immer die Waage, was Mutter und Kind gleichermaßen zugute kommt. Die Mutter riskiert keine Brustentzündung, und das Baby braucht nie vor Hunger zu schreien. Es ist die natürlichste Sache der Welt; die Mutter muß lediglich bereit sein, ihr Kind in viel kürzeren und etwas unregelmäßigen Abständen anzulegen.

Ein weiterer Vorteil des Stillens nach Bedarf besteht darin, daß die Mütter während dieser Zeit einigermaßen zuverlässig vor einer neuen Schwangerschaft geschützt sind. Wenn die Brüste Tag und Nacht in kurzen Abständen Milch geben, werden die Hormone derart auf Trab gehalten, daß mit ziemlicher Sicherheit kein Eisprung stattfindet. Dieses natürliche Phänomen erweist sich zum Beispiel in Stammeskulturen als sehr hilfreich, denn mit dieser Methode lassen sich die Abstände zwischen den Babys beträchtlich vergrößern, was wiederum die Mütter vor Überlastung durch elterliche Pflichten schützt. Bei der Fütterung nach Plan hingegen sind die Abstände zwischen den Mahlzeiten so unnatürlich lang, daß die ununterbrochene Aktivierung des mütterlichen Hormonhaushalts nicht mehr unbedingt gewährleistet ist und der Kreislauf von Eisprung und Menstruation wieder einsetzen kann. Aus diesem Grunde wurde die Wirksamkeit des Stillens als Verhütungsmethode schon oft angezweifelt. Ein Höchstmaß an Zuverlässigkeit kann jedoch nur erreicht werden, wenn die Mutter ohne jede Einschränkung und nach Bedarf stillt.

Wenn sich eine Mutter für das Füttern nach Verlangen entscheidet, bedeutet das nicht etwa, daß sie nun für längere Zeit fast nur noch mit Stillen beschäftigt ist. Schon nach wenigen Tagen kristallisiert sich ein bestimmter Rhythmus heraus. Das Baby entwickelt einen eigenen »Zeitplan«, und die Abstände zwischen den Mahlzeiten werden langsam immer größer. Dabei paßt sich die mütterliche Milchproduktion der jeweiligen Nachfrage an. Das ist eine ganz natürliche Fähigkeit, und deshalb kommt es beim Füttern nach Verlangen so gut wie nie zu Versorgungsengpässen. Noch immer behaupten viele Frauen, sie könnten ihre Kinder nicht stillen, aber das ist nicht auf irgendeinen körperlichen Mangel zurückzuführen, sondern auf die unnatürlichen Stillmethoden, die man ihnen beigebracht hat. Sie hätten sich lieber von den natürlichen Bedürfnissen ihres Babys leiten lassen sollen, denn die Säuglinge können sehr gut selbst entscheiden, wann sie Hunger haben und wann sie satt sind.

Für die Abwendung vom natürlichen Stillen sind in erster Linie die Viktorianer verantwortlich. Sie mokierten sich lauthals über jede Frau, die ihre Brust allzu bereitwillig anbot, und bezeichneten sie als »Milchkuh«. Sie ließen sich nicht davon abbringen, daß das häufige Stillen »unsauber und schädlich« sei. Zu dieser Form des Puritanismus gesellte sich dann in der ersten Hälfte unseres Jahrhunderts noch die Vorstellung, daß es ein Zeichen von Schwäche sei, dem Baby »nachzugeben«. Die Mütter sollten auf jeden Fall hart bleiben. Dabei ging die Tyrannei nicht etwa von den kleinen, unschuldigen Babys aus, sondern von den neunmalklugen Experten. Deren Schriften behielten jahrzehntelang Gültigkeit, und es erforderte einige Anstrengung, sie endlich wieder in der Schublade verschwinden zu lassen. Auch heute noch liebäugeln vielbeschäftigte Leute (Krankenhauspersonal und auch einige Mütter) häufig mit einem strikten Zeitplan für Babys, weil sie meinen, der Tag ließe sich so besser organisieren. Wenn dieser künstliche Rhythmus dann zu Stillproblemen führt, sind sie ganz schnell mit der Flasche bei der Hand. Da läßt sich die Milchzufuhr dann tatsächlich besser kontrollieren, aber den Babys wird das wunderbare Gefühl der Geborgenheit an der Brust entzogen. Bei richtiger Anwendung bietet Flaschenfütterung durchaus eine vernünftige Alternative, aber so befriedigend wie das Stillen nach Bedarf kann es für beide Parteien nie sein.

Welche Milch ist für das Baby am besten?

Diese Frage würde ein Biologe niemals stellen. Denn natürlich ist Milch, die in einer Menschenbrust für ein Menschenbaby produziert wird, geeigneter als Milch, die im Euter einer Kuh für ein Kalb produziert wird. Trotz alledem ist diese Frage berechtigt, weil in den westlichen Industrieländern die Mehrheit der Frauen in den letzten Jahren zur Flaschenfütterung mit nichtmenschlicher Milch übergegangen ist. Woran könnte das liegen? Welche Vor- und Nachteile haben Brust- bzw. Flaschenfütterung?

Beginnen wir mit der naturgemäßen Ernährung an der Mutterbrust. Welche Vorteile bietet das Stillen, das bis zum Aufkommen der Milchflaschen viele Jahrtausende hindurch das Überleben der Menschheit sicherte?

1) *Direktlieferung* Dabei sind Hygiene und Sterilität kein Problem. In ärmlichen Verhältnissen werden die Flaschen oft nicht richtig gereinigt, und die Kuhmilch ist nicht immer unbedingt frisch. So können Schmutz und Keime in den Körper des Babys gelangen und dort Krankheiten verursachen. Infektionen des Magen-Darm-Traktes treten bei Flaschenfütterung wesentlich häufiger auf.

2) *Persönliche Duftmarke* Ein gestilltes Baby kann seine Mutter schon sehr bald am speziellen Geruch ihres Busens erkennen. Wenn die Mutter nicht den Fehler begeht, ihren Busen zu oft und zu gründlich zu waschen, wird das Baby mit Hilfe seines Speichels seine ganz persönliche Duftmarke auf ihrem Körper hinterlassen und so eine wichtige Voraussetzung

für eine sehr frühe Mutter-Kind-Bindung schaffen. Theoretisch wären Flaschen oder Sauger genauso geeignet für das Hinterlassen solcher Duftmarken, doch sie müssen aus hygienischen Gründen sehr viel gründlicher gereinigt werden, was das Hinterlassen eines persönlichen Geruchs natürlich unmöglich macht.

3) *Schlankere Mütter* Der Akt der Fortpflanzung, der mit der Befruchtung des weiblichen Eis begann, geht mit dem Stillen des Babys zu Ende. Der physiologische Prozeß der Milchproduktion beschleunigt die Gebärmutterrückbildung, und die Mutter ist schneller wieder so schlank und fit wie vor der Schwangerschaft. Bei der Flaschenfütterung geht die Rückbildung langsamer voran.

4) *Keine übergewichtigen Babys* Gestillte Babys sind nur selten zu dick. Werden sie hingegen mit der Flasche ernährt, ist eine Tendenz zur Fettleibigkeit sehr viel wahrscheinlicher. Das Übergewicht kommt dadurch zustande, daß sich Flaschen nicht genauso entleeren wie ein menschlicher Busen. Wenn ein hungriges Baby anfängt, an der Brust zu saugen, spritzt die Milch förmlich aus dem vollen Busen heraus und das Baby kann sie mit großen Schlucken hinunterschlingen. Wenn es dann langsam satt wird, paßt sich die Brust dieser veränderten Situation an, indem sie den Nachschub begrenzt. Die Mahlzeit geht auf ganz natürliche Weise zu Ende. Bei der Flaschenfütterung neigen Babys dazu, noch weiterzusaugen, obwohl sie schon satt sind, weil die Milch so leicht aus dem Sauger kommt.

5) *Intimität* Mutter und Kind kommen sich durch das Stillen zwangsläufig sehr nahe. Der Hautkontakt gibt der Mutter ein starkes Gefühl der Verbundenheit mit ihrem Kind, und für das Baby ist die weiche Rundung des Busens ein sehr intensiver Berührungsreiz. Dieser enge Körperkontakt ist bei der Flaschen-

fütterung nicht gegeben, kann aber von der Mutter trotzdem hergestellt werden, indem sie das Baby beim Füttern an die Brust legt.

6) *Sinnesfreuden*   Bei stillenden Müttern löst das Saugen an der Brust oft sehr angenehme Gefühle aus. Die Flaschenfütterung hat nichts dergleichen zu bieten. Und es ist kein Zufall, daß das Stillen für die Mütter auch ein sinnliches Vergnügen ist. Aus evolutionsgeschichtlicher Sicht erhöhen solcherlei Bonbons, genau wie die Freude am Sex, die Überlebenschancen unserer Art.

7) *Versorgung mit Antikörpern*   In den ersten Tagen nach der Geburt enthält die Muttermilch spezielle Antikörper, die das Neugeborene so lange vor Infektionen schützen, bis dessen eigenes Immunsystem funktioniert. Kuhmilch enthält nichts dergleichen.

8) *Vermeidung von Allergien*   Manche Babys reagieren allergisch auf bestimmte Bestandteile der Kuhmilch. Babys, die mit der Flasche ernährt werden, haben häufiger Ekzeme.

9) *Weniger Belastung für die Nieren*   Da Muttermilch die naturgemäße Ernährung darstellt, belastet sie die Nieren wesentlich weniger als Kuhmilch.

10) *Weniger Wundsein*   Gestillte Babys sind wesentlich seltener wund als Säuglinge, die Kuhmilch erhalten. Das liegt daran, daß Kuhmilch schwerer verdaulich ist und in Fäkalien umgewandelt wird, die leicht zu Wundsein führen.

11) *Idealer Nährwert*   Für die Ernährung von Menschenbabys ist Muttermilch sehr viel besser geeignet als die Milch jeder anderen Tierart. Die chemische Zusammensetzung der Muttermilch und der Nährstoffbedarf des Kindes wurden im Laufe

der Evolution sehr fein aufeinander abgestimmt, und es ist eher verwunderlich, daß Milch, die für ein Hauskalb bestimmt ist, so gut von Menschenbabys vertragen wird. Babys sind ja bekanntlich durchaus in der Lage, auch mit der artfremden Kuhmilch zu überleben, doch wie fremd ist sie denn nun eigentlich? Kuhmilch enthält mehr Protein und weniger Zucker, dabei handelt es sich allerdings um etwas andere Protein- und Zuckersorten als in der Muttermilch. Kuhmilch enthält viel mehr Kasein, ein grobflockig gerinnendes Eiweiß, das für Menschenbabys ziemlich unverdaulich ist, weil es im Magen zusammenklumpt. Außerdem verfärbt es die Fäkalien. Das Fett in der Kuhmilch ist nicht so fein verteilt wie in der Menschenmilch, und auch das macht sie schwerer verdaulich. Muttermilch enthält außerdem wesentlich mehr ungesättigte Fettsäuren als Kuhmilch. Der Gehalt an Natrium und Phosphat ist in der Kuhmilch höher, und die Vitamine sind nicht unbedingt für Menschenbabys geeignet.

Als Nahrungsmittel für Menschenbabys schneidet Kuhmilch in diesem Vergleich also ziemlich schlecht ab. Inzwischen haben die Hersteller von Babynahrung schon große Anstrengungen zur Verbesserung der Kuhmilch unternommen, und bei vorschriftsmäßiger Anwendung kommt sie der Qualität von Muttermilch auch ziemlich nahe. Die Praxis beweist es, denn schließlich sind schon Millionen von Menschenbabys prachtvoll mit Kuhmilch gediehen. Da Muttermilch aber trotz alledem immer noch besser ist, drängt sich die Frage auf, warum das Stillen so wenig Anklang findet? Warum ist die Flaschenfütterung so weit verbreitet? Wo liegen die Vorteile?

1) *Erregt weniger Aufsehen* Die Flaschenfütterung erspart den Müttern peinliche Situationen in der Öffentlichkeit. Eine Flasche kann man überall und zu jeder Zeit hervorholen. Stillen erfordert mehr Intimität, weil es in eine Tabuzone unserer modernen Gesellschaften hineinreicht. In den westlichen Indu-

strieländern ist der Busen in der Öffentlichkeit bedeckt zu halten, auch wenn es sich um den stillenden Busen einer Mutter handelt. Man kann sich kaum vorstellen, daß es jemanden stören könnte, wenn eine Mutter ihr Kind beispielsweise im Bus oder im Zug stillt, doch viele Leute empfinden es so und treffen damit einen ganz empfindlichen Punkt bei den Müttern. Von dieser gesellschaftlichen Warte aus betrachtet ist die Flaschenfütterung tatsächlich besser.

2) *Nicht so anstrengend* Das Füttern mit der Flasche ist nicht so kräftezehrend wie das Stillen und erfordert nicht unbedingt eine gesunde Mutter. Es verlangt weniger persönliche Opfer. Ist die Mutter nach der Geburt schwach oder krank, drängt sich die Flasche förmlich auf. So hat der Körper ein Problem weniger zu bewältigen. Bei Medikamenteneinnahme können die Wirkstoffe über die Muttermilch an das Kind weitergegeben werden. Sollte die Mutter heroinabhängig sein oder Haschisch rauchen, kann sich das über die Milch ebenso negativ auf das Kind auswirken wie übermäßiger Alkoholgenuß. Wenn eine Mutter in der Stillzeit nicht auf Drogen verzichten kann, ist Flaschenfütterung auf jeden Fall die bessere Lösung.

3) *Nicht so »animalisch«*... Manchen Frauen ist nicht wohl bei dem Gedanken, daß sie ihre Brüste zum Stillen hergeben sollen. Die einen glauben, sie würden sich ihre Schönheit oder ihre Figur ruinieren; die anderen haben ganz einfach neurotische Angst vor dem Stillen. Seit einigen Jahren genießt die Muttermilch aber wieder ein hohes Ansehen, und manche Frauen, die dem Stillen eher ablehnend gegenüberstehen, fühlen sich durch diesen neuen Trend ziemlich unter Druck gesetzt. Das Stillen sollte jedoch niemals unter Zwang geschehen, denn es ist ausgesprochen wichtig, daß sich die Mutter beim Füttern ihres Babys wohl fühlt. Ihre Stimmung überträgt sich nämlich automatisch auf das Kind, und nur wenn die Mutter glücklich ist, kann auch das Baby zufrieden sein und

eine gute Beziehung zur Mutter aufbauen. Wenn die Mutter sich gefühlsmäßig gegen das Stillen wehrt, kann sie ihrem Kind wohl kaum die richtigen Signale übermitteln. In einem solchen Fall ist es sicher besser, sich nicht von den Stillbefürwortern irritieren zu lassen und die Flasche zu geben.

4) *Mehr Unabhängigkeit...* Manche Frauen haben gar keine Wahl. Sie müssen mit der Flasche füttern, weil sie nicht genug eigene Milch haben. Wenn sie das traurig stimmt, sollten sie immer daran denken, daß sich Millionen von Frauen freiwillig für die Flaschenfütterung entscheiden und damit offensichtlich gute Erfolge erzielen. Das Stillen ist sicherlich in fast jeder Hinsicht besser als die Flaschenfütterung, aber unentbehrlich ist es nicht. Und einen großen Vorteil hat die Milchflasche schließlich auch: Die Fütterung des Kindes kann ebenso gut vom Vater übernommen werden, was beim Stillen vollkommen ausgeschlossen ist.

Zu guter Letzt muß noch ein Mißverständnis ausgeräumt werden. Manche Frauen, die sich für »flachbrüstig« halten, probieren das Stillen oft gar nicht, weil sie meinen, sie seien dazu ohnehin nicht in der Lage. Sie entscheiden sich von vornherein für die Flasche, weil sie überzeugt sind, daß ihre Milchproduktion nicht ausreichen wird. Doch dieser Pessimismus ist völlig fehl am Platze. Tatsächlich sieht es nämlich so aus, daß kleinbrüstige Frauen im Durchschnitt mehr Milch haben als großbrüstige. Es ist kaum zu glauben, aber wahr, denn große Brüste zeugen lediglich von mehr Fett, nicht von mehr Produktionskapazität. Meistens fällt den kleinbrüstigen Frauen das Stillen sogar leichter, weil das Baby die Brustwarze besser fassen kann. Eine große runde Brust ist beim Ansaugen eher ein Hindernis.

Wie wurden Babys auf feste Nahrung umgestellt, als es noch keine Babykost gab?

Heutige Mütter haben es leicht. Wenn sie ihr Baby von der Milch auf festere Nahrung umstellen wollen, können sie überall fertige Babykost kaufen, die in ihrer weichen, cremigen Konsistenz genau den Bedürfnissen des Babys entspricht. Und wenn ihnen die handelsübliche Fertigkost nicht zusagt, können sie den gewünschten Früchte-, Gemüse- oder Getreidebrei auch leicht selbst zubereiten, denn Töpfe, Siebe und elektrische Mixer gehören heute zur Grundausstattung jeder Küche. Doch wie haben unsere Urahnen diesen weichen Brei hergestellt, der für die Umstellung von Milch auf feste Nahrung unumgänglich ist?

Glücklicherweise gibt es auch heute noch einige Stammeskulturen, die über keinerlei moderne Technologie verfügen. Dort können wir die Antwort auf unsere Frage finden. Verhaltensforscher, die primitive Völker wie die afrikanischen Buschmänner, die südamerikanischen Yanomami und andere Stammesgesellschaften auf den Philippinen, in Neuguinea und in den asiatischen Tropen besucht haben, stellten wiederholt fest, daß dafür eine ganz bestimmte Technik verwendet wird: der Fütterkuß. So machten es auch unsere Vorfahren, und vieles deutet darauf hin, daß diese Methode bis vor kurzem auch in den entlegeneren Gegenden Europas angewendet wurde.

Was geschieht nun dabei genau? Die Mutter nimmt das Essen in den Mund und kaut so lange darauf herum, bis es fast zu Suppe geworden ist. Dann legt sie ihre Lippen auf die Lippen des Babys und drückt ihm ihre Zunge in den Mund.

Daraufhin öffnet das Kind die Lippen und fängt an zu saugen. Auf diese Weise gelangt das zerkaute Essen in den Mund des Kindes; die Entwöhnung von der Milch hat begonnen.

Die Kußfütterung und das normale Stillen laufen parallel, so daß sich das Kind schrittweise an die neue Form der Nahrungsaufnahme gewöhnen kann. Nach und nach verliert die Muttermilch an Bedeutung, und die Kußfütterung tritt in den Vordergrund. Mit der Zeit wird der Brei in seiner Konsistenz immer grober, und irgendwann ist das Baby dann ganz entwöhnt.

Diese uralten Entwöhnungstechniken sind ganz ähnlich wie bei den Menschenaffen: z. B. Schimpansen, Gorillas und Orang-Utans. Aber auch andere Tiere, wie Wildhunde und Wölfe, ganz zu schweigen von unzähligen Vogelarten, wenden eine ähnliche Methode zur Fütterung ihrer Jungen an.

Eine Abwandlung des Fütterkusses wird in Stammesgesellschaften auch zur Beruhigung von Babys benutzt. Der ältere Bruder, die große Schwester oder irgendein anderes Familienmitglied preßt dem Baby die Lippen auf den Mund und schiebt ihm mit der Zunge ein wenig Speichel hinein. Diese symbolische Fütterung spendet dem Baby Trost. Der Kuß war ursprünglich ein Akt des Gebens und entwickelte sich dann zu einer Begrüßungsform. Bei Hunden ist es ganz ähnlich. Ein Haushund, der seinen heimkehrenden Besitzer begrüßt, springt freudig an ihm hoch und versucht, ihm den Mund zu lecken. Die scherzhafte Bezeichnung »Hundekuß« ist demnach völlig zutreffend, denn es handelt sich dabei tatsächlich um eine abgewandelte Form des Fütterkusses unter Hunden. Diese Angewohnheit stammt noch aus der Zeit der Wildhunde: Wenn die erwachsenen Tiere mit halbverdauter Nahrung im Magen von der Jagd zurückkamen, sprangen die Jungtiere an ihnen hoch, leckten ihnen den Mund und warteten begierig darauf, daß ihr Futter endlich hochgewürgt wurde.

Auch der menschliche Kuß hat sich aus dieser urzeitlichen Entwöhnungstechnik unserer Gattung entwickelt. Ob als einfache Begrüßung oder als Liebesbeweis, der Kuß dient auf der ganzen Welt dazu, Sympathie zu bekunden, und die emotionalen Qualitäten dieser Geste leiten sich von ihrer ursprünglichen Funktion als Fütterkuß für Menschenbabys ab. Aus der einstigen Nahrung für den Körper ist mittlerweile Nahrung für die Seele geworden.

In Stammeskulturen beginnen die Mütter normalerweise mit dem Fütterkuß, wenn ihre Säuglinge drei bis vier Monate alt sind, und auch die meisten Mütter in unserer Zivilisation fangen in diesem Alter mit dem Zufüttern an. Es scheint das natürliche Entwöhnungsalter unserer Spezies zu sein. Ernährungswissenschaftler sind der Meinung, daß Babys spätestens im Alter von sechs Monaten andere Nahrung brauchen, weil dann die Muttermilch (oder Flaschenmilch) nicht mehr genug Eisen liefert. Ohne Zufütterung kann es in diesem Alter schon zu ernsthaften Mangelerscheinungen kommen. Das heißt aber nicht, daß die Mütter ihr Kind nun abrupt vom Busen oder von der Flasche entwöhnen müssen. Die Milchmahlzeiten können auf jeden Fall bis zum Ende der Babyzeit mit einem Jahr beibehalten werden.

Plötzliche Ernährungsumstellungen sind ohnehin nicht ratsam. Dem Baby bekommt es wesentlich besser, wenn es sich ganz allmählich im Laufe mehrerer Monate von der Milch auf festere Nahrung umstellen kann.

Manche Babys lernen schnell, aus der Tasse zu trinken und mit dem Löffel zu essen. Andere wollen sich an diese neuen Methoden nur ungern gewöhnen und brauchen viel geduldige Zuwendung. Das scheint daran zu liegen, daß manche Babys besser mit ihrer Zunge umgehen können als andere. Beim Milchtrinken haben sie ja eigentlich nur die Brustwarze oder den Sauger zusammengedrückt. Doch beim Essen mit dem Löffel muß die Nahrung ganz aktiv mit Hilfe der Zunge bis zum Schlund befördert werden. Und dagegen wehren sich viele Babys zu Anfang; da gibt es dann die allseits bekannte Schmierschnute und die leidigen Flecken auf Kleidern und Möbeln.

Aufgrund dieser Schwierigkeiten wurde einst empfohlen, man solle Babys erst im Alter von neun bis zwölf Monaten auf feste Nahrung umstellen. Das war vor ungefähr 50 Jahren, doch dann änderten sich die Ansichten im Laufe der folgenden Jahrzehnte wieder, und der Zeitpunkt für die Entwöhnung wurde immer früher angesetzt. In extremen Fällen wird sogar geraten, schon im zarten Alter von einem Monat mit der Zufütterung zu beginnen, aber das geht zu weit, denn in diesem Stadium ist die Zunge des Babys noch gar nicht ausgereift — es kann nur Milch trinken. Inzwischen ist man allgemein der Meinung, daß die Zufütterung idealerweise mit vier Monaten beginnen sollte. Mit sechs Monaten sollte schon ein Großteil der Milchmahlzeiten ersetzt sein, und mit neun oder zehn Monaten kann der Entwöhnungsprozeß abgeschlossen werden.

Genauere Untersuchungen haben ergeben, daß Babys erst mit vier Monaten richtig beißen und mit sechs Monaten richtig kauen können (auch wenn sie das Essen zumeist nur mit dem Zahnfleisch zerdrücken). Durch solche Beobachtungen an Babys können wir sicher sein, daß wir heute nach vielem Hin und Her endlich den richtigen Zeitpunkt für die Umstellung auf feste Nahrung gefunden haben. Wir sollten uns ganz generell lieber vom Verhalten des Babys leiten lassen und uns nicht so sehr an Vorschriften und Zeitpläne halten.

Warum brauchen Babys ihr Bäuerchen?

Kleine Babys haben oft sehr schmerzhafte Blähungen nach dem Trinken. Ihre Mütter halten das für völlig normal und haben sich ein regelrechtes Bäuerchen-Ritual angewöhnt, das nach jeder Mahlzeit ausgeführt wird. Es wird als eine natürliche Schwäche angesehen, daß Menschenbabys in den ersten sechs Monaten immer wieder zu qualvollen Blähungen neigen. Aus biologischer Sicht scheint das jedoch recht sonderbar. Das Menschenbaby ist so perfekt konstruiert, daß ein solcher Schwachpunkt ziemlich unwahrscheinlich ist. Gibt es vielleicht eine andere Erklärung?

An dieser Stelle sei erwähnt, daß die Babys in Stammeskulturen dieses Problem nicht haben. Das Bäuerchen-Ritual existiert anscheinend nur in den westlichen Industrieländern. Vielleicht machen wir irgend etwas falsch. Vielleicht sind schmerzhafte Blähungen doch nicht naturgegeben.

Woher kommen sie denn nun eigentlich? Sie entstehen dadurch, daß gleichzeitig mit der Milch auch große Mengen Luft eingesogen werden. Während der Mahlzeit bläht dieses Milch-Luft-Gemisch den Magen des Babys auf, und für das Wohlbefinden des Kindes ist es sehr wichtig, daß die Luft wieder entweichen kann.

Das ist aber gar nicht so einfach, und die Mutter muß ihrem Baby helfen, indem sie es gegen ihre Brust drückt. Der kleine Kopf schaut dabei über ihre Schulter. Wenn der Säugling in dieser vertikalen Position gehalten wird und die Mutter ihm sanft den Rücken streichelt oder klopft, produziert er irgendwann das ersehnte Bäuerchen. Danach können sich Mutter und Kind entspannen. Das Ritual ist vorüber, und das Baby kann friedlich einschlafen. Aber warum haben die Babys in Stammesgesellschaften keine derartigen Probleme? Entweder saugen sie beim Trinken keine Luft mit ein, oder die Luft liegt anders in ihrem Magen. Bei ganz kleinen Babys haben die Lippen noch nicht die Kraft, den Sauger oder die Brustwarze fest zu umschließen. Der Lippenschluß ist noch so locker, daß an den Mundwinkeln Luft eindringen kann. Wenn das Baby dann kraftvoll zu saugen anfängt, kann man buchstäblich sehen, wie die Luft zusammen mit der Flüssigkeit in den Hals gelangt. Im Alter von sechs Monaten sind die Lippen des Babys dann viel stärker und lassen kaum noch Luft eindringen. Das Bäuerchen-Problem hat sich dann erledigt.

Jetzt wissen wir, wie die Luft in den Magen gelangt, aber wir wissen immer noch nicht, warum Babys in Stammeskulturen nicht unter schmerzhaften Blähungen leiden. Alle Babys haben die gleichen Lippen, also muß bei allen in den ersten Lebensmonaten sehr viel Luft in den Magen gelangen, wenn sie an der Brust oder an einer Flasche saugen. Die Antwort muß also im Magen selbst liegen. Und da tut sich tatsächlich ein Unterschied zwischen »primitiven« und »westlichen« Babys auf. Bei uns werden die meisten Babys zum Trinken eher horizontal gehalten. In Stammesgesellschaften hingegen hält man die Babys eher vertikal. Das Milch-Luft-Gemisch im Magen muß sich aber in seine einzelnen Bestandteile auflösen können, damit die Luft hochsteigt und in Form von kleinen Bäuerchen entweichen kann. Wird das Baby zu horizontal gehalten, ist dieses Aufstoßen nicht möglich. Die Luft wird im Magen eingeschlossen und verursacht dort schmerzhafte Blähungen. Zum Bäuerchenmachen wird das Baby automatisch in die Vertikale gebracht, und diese Positionsveränderung löst dann das Problem. Ob das Rückenklopfen dazu beiträgt, sei dahingestellt. Wahrscheinlich dauert es einfach seine Zeit, bis die Luft höher steigt als die Milch, und jede andere Zärtlichkeit würde wohl den gleichen Zweck erfüllen. Letztendlich geht es nur darum, die Zeit bis zum ersehnten Bäuerchen zu überbrücken.

Da die Babys in Stammesgesellschaften ohnehin ziemlich vertikal gehalten werden, löst sich bei ihnen das Problem von allein. Für diese Theorie spricht auch die Tatsache, daß westliche Babys, die vor dem Bauch getragen werden, nur selten Bäuerchen machen müssen.

Man kann auf vielerlei Weise verhindern, daß zuviel Luft in den Magen des Babys gelangt. Es sollte auf jeden Fall vermieden werden, daß die Milch zu schnell oder zu langsam fließt. Wenn sie zu schnell fließt, kann das Baby diesem Überangebot nur mit hektischem Schlucken begegnen, und das wiederum begünstigt das Eindringen von Luft. Wenn nicht genug Milch da ist, fängt das hungrige Baby immer stärker an zu saugen und erwischt dabei natürlich auch viel Luft. Wenn Babys mit der Flasche gefüttert werden, sollte das Loch im Sauger weder zu klein noch zu groß sein. Auch alte Sauger, die schon zu nachgiebig sind, können Probleme bereiten. Man sollte ebenfalls darauf achten, daß der Sauger immer richtig auf der Flasche sitzt, denn sonst kann auch auf diese Weise viel unnötige Luft in den Bauch gelangen.

Zuviel Luft kann aber unabhängig von den Fütterungsmethoden auch durch langanhaltendes Geschrei in den Bauch gelangt sein. Blähungen verursachen nur selten Geschrei, doch Geschrei verursacht fast immer Blähungen. Wenn Babys schreien, weil sie auf den Arm genommen oder gestreichelt werden wollen, kann das Blähungen zur Folge haben. Wenn die Mütter dann glauben, ihr Kind würde schreien, weil es Blähungen hat, verwechseln sie Ursache und Wirkung.

Ein Wort zum Schluß: Wenn ein Baby nach der Mahlzeit auf die Seite gelegt wird, sollte es vorzugsweise die rechte sein. Der Magen des Babys ist nämlich so angelegt, daß es in dieser Position weniger zu Blähungen kommt, weil die Luft besser entweichen kann.

Woran merkt man, daß ein Baby satt ist?

E s gibt zwei charakteristische Reaktionsweisen, mit denen ein Baby zu erkennen gibt, daß es satt ist, und zwar unabhängig davon, ob es die Brust bekommt oder mit der Flasche oder mit dem Löffel gefüttert wird. Die eine besteht darin, daß es die Brustwarze, den Sauger oder den Löffel mit der Zunge aus dem Mund schiebt. Die andere Möglichkeit ist das Wegdrehen des Kopfes von der Nahrungsquelle. Beide Reaktionen sind deutliche Signale, die von allen Eltern sofort verstanden werden, und sie wären auch gar nicht weiter interessant, wenn sich nicht zwei wichtige Erwachsenensignale daraus entwickelt hätten. Bei vielen Gelegenheiten drücken Menschen ihre Ablehnung dadurch aus, daß sie die Zunge herausstrecken oder den Kopf schütteln. Die einfachen, frühkindlichen Gesten sind zum Bestandteil der Erwachsenen-Körpersprache geworden.

Das »Zungeherausstrecken« wird häufig als zurückweisende Geste eingesetzt. Wir empfinden es als Beleidigung, obwohl wir gar nicht so genau wissen, warum. Intuitiv spüren wir, daß das anvisierte Objekt abgelehnt wird, und das sind in diesem Falle wir. Zumindest unbewußt fühlen wir uns behandelt wie ein verschmähter Leckerbissen.

Aber auch Menschen, die sich sehr stark konzentrieren, strecken manchmal die Zunge heraus. In diesem Fall sind sich die Handelnden gar nicht darüber im klaren, daß sie die Zunge herausstrecken. Sie sind so fixiert auf ihre Arbeit, daß die Zunge automatisch zwischen die Zähne rutscht. Kinder reagieren so, wenn sie mit einem bestimmten Spielzeug spielen und nicht gestört werden wollen. Aber auch Erwachsene strecken die Zungenspitze heraus, wenn sie beispielsweise eine Nadel einfädeln, eine Skizze machen oder schwierige Reparaturen ausführen. In all diesen Fällen erfüllt die Zunge die gleiche Funktion wie in der Kindheit, als man die aufdringlichen Eltern mit ihrem vollen Löffel zurückweisen mußte. Die Botschaft bleibt immer die gleiche:»Laß mich bitte in Frieden!«

Die zweite Möglichkeit der Nahrungsverweigerung − das Wegdrehen des Kopfes − hat sich ebenfalls zu einem Erwachsenensignal weiterentwickelt: das Kopfschütteln, das nahezu international»Nein« bedeutet. Wenn das Baby sich von der Nahrungsquelle abwendet, dreht es den Kopf meistens scharf zur Seite. Sollte das nicht helfen (weil die ehrgeizigen Eltern es vielleicht mit der Flasche oder mit dem Löffel verfolgen), dreht es den Kopf genauso abrupt in die andere Richtung. Diese schnellen Kopfdrehungen nach links und rechts sind schon ein echtes Kopfschütteln, und auch die Botschaft ist ganz klar:»Nein, nein, nein.« Da das Baby sich noch nicht mit Worten verständlich machen kann, muß es sich mit solch einfachen Gesten behelfen, aber die Eltern verstehen dieses Signal sofort und respektieren es auch. Es ist nicht schwer nachzuvollziehen, wie aus dem frühkindlichen Kopfschütteln ein Erwachsenensignal und schließlich eine fast internationale Verneinung wurde.

In einigen Teilen der Welt, vor allem in Griechenland, drückt man die Verneinung mit einer anderen Kopfbewegung aus. Beim sogenannten griechischen Nein wird der Kopf leicht zurückgeworfen. Diese Geste ist weit weniger verbreitet als das Kopfschütteln, aber der Ursprung scheint derselbe zu sein. Obwohl Babys den Kopf eher zur Seite drehen, wenn sie nicht mehr essen oder trinken wollen, kann es unter bestimmten Umständen auch passieren, daß sie den Kopf zurückwerfen. Nur nach unten drehen sie den Kopf nie, denn auf diese Weise würden sie beim Stillen ihr Gesicht nur noch fester an den Busen drücken. Und es ist kein Zufall, daß sich diese Abwärtsbewegung des Kopfes − das Kopfnicken − unter Erwachsenen zur allgemein verständlichen Geste der Bejahung entwickelt hat.

Wie lang schlafen Babys?

Wenn man Gäste im Haus hat und sie am Morgen fragt, wie sie geschlafen haben, bekommt man manchmal zur Antwort:»Ich habe geschlafen wie ein Baby«, was für den Gastgeber natürlich sehr schmeichelhaft ist. Doch das dicke Ende kommt gleich nach:»Ich bin alle zehn Minuten aufgewacht und habe geschrien.« Glücklicherweise handelt es sich bei diesen Antworten um einen Witz, doch es steckt auch ein Körnchen Wahrheit darin, denn Babys schlafen tatsächlich sehr viel länger als Erwachsene. Von daher bedeutet»Schlafen wie ein Baby«, daß man sehr lange schläft. Es stimmt aber auch, daß Babys sehr viel öfter zwischendurch aufwachen als Erwachsene. Ein neugeborenes Menschenbaby schläft mehr als doppelt soviel wie ein Erwachsener, aber von einem ununterbrochenen Nachtschlaf ist es noch weit entfernt. Bei seinen vielen kleinen Nickerchen nimmt es auf Tag oder Nacht noch keine Rücksicht.

Genauer gesagt schläft ein Baby in der ersten Lebenswoche durchschnittlich 16,6 von 24 Stunden. In früheren Berichten wurde diese Zahl sehr viel höher angesetzt − ungefähr bei 22 Stunden −, aber bei genauerem Hinsehen stellte sich heraus, daß es sich dabei eher um eine Ausnahme handelte. Bei eingehenden Untersuchungen an 75 Neugeborenen wurde festgestellt, daß es große Unterschiede zwischen den einzelnen Kindern gibt. Manche schliefen nur 10,5 von 24 Stunden, andere brachten es auf 23 Stunden, aber der Durchschnitt lag bei 16,6 Stunden.

Wenn das Baby einen Monat alt ist, hat sich die Gesamtschlafdauer schon auf 14,8 Stunden verkürzt. Dieser Prozeß setzt sich dann langsam fort, und im Alter von sechs Monaten ist schon ein Durchschnittswert von 13,9 Stunden erreicht. Gegen Ende der Babyzeit, wenn das Kind ein Jahr alt wird, schläft es immerhin noch 13 Stunden am Tag. (Im Alter von fünf Jahren liegt der Wert immer noch bei 12 Stunden, wohingegen 13jährige Teenager nur noch 9 Stunden schlafen. Als Erwachsener schläft der Mensch dann schließlich nur noch 7,5 Stunden im Durchschnitt.)

Die langsame Verkürzung der Schlafenszeit ist aber nicht gleichmäßig auf Tag und Nacht verteilt. Die Wachphasen konzentrieren sich mehr und mehr auf den Tag. Gleich nach der Geburt schlafen Babys fast genauso viel bei hellem Tageslicht wie in den dunklen Nachtstunden. Doch schon in der dritten Lebenswoche verschläft das Baby im Durchschnitt 54 Prozent der Tagesstunden und 71 Prozent der Nachtstunden. In der 26. Woche verschläft es dann nur noch 28 Prozent des Tages, aber 83 Prozent der Nacht.

Aus den vielen Nickerchen, die gleichmäßig über die 24 Stunden verteilt waren, wird also langsam ein ausgedehnter Nachtschlaf, der durch kurze Schlummerphasen am Tag ergänzt wird. Es ist eine große Erleichterung für die mittlerweile ziemlich erschöpften Eltern, wenn das Baby nachts endlich durchschläft − 10 Stunden fast ununterbrochener Ruhe. Das Baby gewöhnt sich langsam an den menschlichen Biorhythmus. Die Tagesnickerchen konzentrieren sich mit der Zeit auf ein Schläfchen am Vormittag und eines am Nachmittag, und so bleibt es auch bis zum Ende der Babyzeit. Im Laufe des zweiten Lebensjahres verschwindet dann auch noch das Vormittagsschläfchen.

Zusammenfassend kann man sagen, daß ein drei Wochen altes Baby etwa 8,5 Stunden in der Nacht und 6,5 Stunden am Tag schlafen sollte. Diese Schlafenszeit kann auf maximal achtzehn kleine Nickerchen innerhalb von 24 Stunden verteilt sein. Ein sechs Monate altes Baby sollte nachts etwa 10 Stunden und tagsüber 3,5 Stunden schlafen, wobei der Nachtschlaf möglichst ununterbrochen sein sollte und der Tagesschlaf in mehrere Nickerchen aufgeteilt ist. Aber es ist kein Grund zur Beunruhigung, wenn ein Baby diesem Schema nicht folgt, denn der Schlafrhythmus kann individuell sehr verschieden sein.

Wo schlafen Babys?

Heutzutage haben die meisten Babys ein eigenes Kinderzimmer mit eigenem Gitterbett, in dem sie nachts ganz allein schlafen. Das Kinderzimmer ist meist geschmackvoll eingerichtet und schön dekoriert. Das Kinderbettchen ist gemütlich, warm und weich. Die Frage ist nur, ob die Kinder tatsächlich Wert auf all diese Dinge legen. Ist es natürlich, ein Baby so zu isolieren? Jeder objektive Beobachter wird diese Frage bald verneinen müssen, auch wenn er sich dadurch vielleicht unbeliebt macht.

Tatsächlich ist es nämlich so, daß die Kinderzimmer für die Mütter sehr viel attraktiver sind als für die Babys. Dem Baby ist es ganz egal, ob es in einem alten Stall oder im teuersten Designerzimmer schläft; Hauptsache, es kann in den Armen seiner Mutter liegen und muß nicht allein bleiben. Man braucht sich nur einmal anzuschauen, wie oft die Babys in den verschiedenen Schlafsituationen anfangen zu schreien. Schreien und Weinen sind Hilferufe und nicht etwa Manipulationsversuche von »bösartigen Kindern«, die ihren leidgeprüften Eltern nur auf der Nase herumtanzen wollen, auch wenn das allen Ernstes in der Vergangenheit behauptet wurde.

Da muß es irgendwo ein Mißverständnis gegeben haben, sonst hätte es niemals zu solch grotesken Meinungsäußerungen kommen können. Der Fehler war der, daß man glaubte, die Kinder würden aus Protest schreien, wenn man sie ganz allein und auf unnatürliche Weise von ihren Eltern getrennt in ihren Kinderzimmern zurückließ. Die Eltern ließen die Kinder dann entweder schreien, bis »ihr Wille gebrochen war«, oder sie liefen andauernd zum Bettchen, um ihr Kind zu trösten. Sie waren vor lauter Mitleid ständig auf dem Sprung und mußten dann auch noch das schreiende Kind beruhigen und wieder zum Schlafen bringen. Dann herrschte eine Weile Ruhe, bis das Baby wieder aufwachte und vor Angst erneut in Tränen ausbrach. Diese Vorgehensweise war für Eltern und Kind gleichermaßen erschöpfend, und letztendlich war es für alle Beteiligten eine Strafe. Da rannten die wohlmeinenden Experten, die bei nächtlichem Geschrei zu härterem Vorgehen rieten, offene Türen ein. Leider machten sie sich aber nicht die Mühe, Babys zu beobachten und von ihnen zu lernen. Ihre Lösungsvorschläge drehten sich allesamt um Training und Disziplin.

Babys, die Tag und Nacht bei ihrer Mutter bleiben dürfen, haben keine solchen Schrei- und Weinanfälle. In Stammeskulturen schlafen die Kinder fast immer bei ihren Müttern. Der enge Körperkontakt wird so lange wie möglich aufrechterhalten, und dadurch kommt es wesentlich seltener zu Notrufen. In dieser Hinsicht folgen die heute noch bestehenden Stammesgesellschaften einem Schema, das zweifellos schon seit den Anfängen der Menschheit besteht. Zu Zeiten unserer Vorväter wäre es viel zu gefährlich gewesen, ein Baby allein zu lassen. Um sich gegen solcherlei Risiken zu wappnen, entwickelte das Menschenkind ein durchdringendes und sehr kraftvolles Paniksignal, das immer dann ertönte, wenn es sich in einer heiklen Lage von seiner Schutzperson getrennt fühlte. Da es sich nicht wie ein Affe am Fell seiner Mutter festklammern und auch nicht wie ein Rehkitz hinter ihr herlaufen konnte, blieb dem hilflosen Menschenkind in Notsituationen nur seine Stimme. Auf dieses Signal reagierte seine Mutter sofort, und damit war alles in Ordnung. Da die Babys nachts bei ihren Müttern schliefen, war die liebevolle Trösterin nie weit.

Durch diese unmittelbare Nähe gestaltete sich auch das nächtliche Stillen wesentlich streßloser. Die Mutter wurde zwar in ihrer Nachtruhe gestört, aber die Anstrengung beschränkte sich auf ein Minimum. Sie mußte nicht immer lauschen, ob irgendwelche Geräusche aus dem Kinderzimmer kamen, brauchte sich nicht aus dem Bett zu quälen, und das nächtliche Herumtragen blieb ihr auch erspart. Wenn sie morgens aufwachte, war sie nicht müde und gereizt, sondern ausgeruht und entspannt.

Warum hat man dieses Verhalten nicht beibehalten, wenn es so gut funktionierte? Dafür scheinen mehrere Faktoren verantwortlich zu sein. Einer war sicherlich die Verstädterung, die den meisten Stadtbewohnern früherer Zeiten erschreckend unhygienische Verhältnisse bescherte. Es gab kaum Gelegenheit, sich zu waschen, und da bereitete ein Baby im Bett natürlich noch zusätzliche Probleme. Deshalb kam man auf die Idee, das Baby von seinen Eltern getrennt schlafen zu lassen. In den Industriegesellschaften durften die Babys nur sehr selten bei ihren Eltern schlafen. Von den nicht industrialisierten Gesellschaften hingegen befürworteten 71 von 90 das »Zusammenschlafen«.

Ein zweiter Faktor war das Aufkommen unglaublich strenger Erziehungsmethoden, bei denen Zucht und Ordnung im Vordergrund standen. Sie galten in erster Linie für ältere Kinder, doch einige Experten weiteten die generelle Philosophie »Wer die Rute spart, verzieht das Kind« auch auf die Babyzeit aus. Man ließ die Babys allein in ihren Zimmern schreien, damit sie »stark und selbstbewußt« wurden. Dieser Erziehungsstil war in sehr seltenen Fällen auch bei Stammesgesellschaften anzutreffen, doch dabei handelte es sich interessanterweise immer um kriegerische Stämme, die mit den zuchtmeisterlichen Erziehungsmethoden das Ziel verfolgten, aus ihren Kindern aggressive Erwachsene zu machen. Und diese Rechnung ging auch auf.

Zusätzlich zu den Ideen, daß allein schlafende Babys besser vor Infektionen geschützt seien und daß sie so früh wie möglich zur Selbständigkeit erzogen werden müßten, spielte noch ein dritter Faktor eine Rolle: die Angst, das Kind zu ersticken, wenn es mit den Eltern in einem Bett schlief. Die Vorstellung, daß Eltern nachts auf ihre Babys rollen und sie dadurch ersticken könnten, mutet allerdings etwas merkwürdig an, wenn man bedenkt, daß unsere Spezies seit Urzeiten ohne den »Luxus« getrennter Betten zurechtgekommen ist. Aber man kann verstehen, wie diese Idee geboren wurde. In alten Zeiten war es Sitte, die Babys sehr fest zu wickeln – und häufig auch noch auf harten Tragebrettern festzubinden –, und wenn dieses »Korsett« auch nachts nicht gelockert wurde, konnten die kleinen Säuglinge sich kaum noch bewegen. Wenn solche Babys neben ihren Eltern schliefen, bestand tatsächlich eine leichte Erstickungsgefahr, weil das Baby sich kaum selbst retten konnte. Aber ein Baby, das sich frei bewegen kann, kennt solche Nöte nicht. Es kann sich rasch krümmen und winden oder auch schreien, wenn es in Bedrängnis gerät. Das ist schon genug, um die Eltern aufzuwecken, es sei denn, sie sind halb betäubt von Schlaftabletten, Drogen oder Alkohol. Gesunde, normale Eltern haben nämlich ein feines Gespür für das Baby in ihrem Bett, auch wenn sie ansonsten sehr fest schlafen. Ihr Gehirn hat zwar auf Ruhe geschaltet, bleibt aber trotzdem noch empfänglich für kindliche Notsignale und gibt gegebenenfalls sofort den Befehl zur Positionsveränderung.

Zusammenfassend kann man sagen, daß das Baby im Bett seiner Eltern besser überwacht werden kann. Wenn ihm zu heiß oder zu kalt ist, wenn es sich körperlich irgendwie nicht wohl fühlt, merken die Eltern dies schneller, als wenn es sich in einem anderen Zimmer befindet. Von daher ist es also der Gesundheit förderlich, wenn das Baby mit seinen Eltern zusammenschläft. Außerdem kann das Baby sich die ganze Nacht lang geliebt und geborgen fühlen, und das verhilft ihm im späteren Leben zu *mehr* – nicht etwa weniger – Unabhängigkeit. Mit einer solchen Sicherheit im Rücken kann es die Welt frohgemut erforschen, anstatt sie zu fürchten, weil sein »Wille gebrochen« wurde. Es wird extravertiert und weniger gewalttätig sein, und Kreativität liegt ihm sehr viel näher als destruktives Verhalten.

Das gemeinsame Schlafen ist aber für die Mutter vielleicht genauso wichtig wie für das Kind. Es wird vermutet, daß das bekannte Phänomen der »Wochenbettdepression« in erster Linie auf ein Gefühl der Leere zurückzuführen ist: Das Baby, das die Mutter so lange in ihrem Leib getragen hat, wird plötzlich durch gesellschaftliche Gepflogenheiten von ihr getrennt, zuerst im Krankenhaus und dann auch zu Hause durch das Kinderzimmer. Mütter, die ihre Kinder im Krankenhaus bei sich behalten dürfen und auch zu Hause mit ihnen in einem Bett schlafen, leiden angeblich nicht unter Wochenbettdepressionen, weil sie ganz von der immerwährenden Anwesenheit ihres neugeborenen Babys erfüllt sind. Ihr Hormonhaushalt verlangt von ihnen, daß sie ihre Kinder mit sehr viel Nähe und Zärtlichkeit verwöhnen, und wenn sie diesem natürlichen Bedürfnis nicht nachgeben können, haben sie regelrechte Entzugserscheinungen und fühlen sich »wertlos«. Wenn das gemeinsame Schlafen tatsächlich gegen die leidigen Wochenbettdepressionen hilft, ist das ein Grund mehr, das traditionelle Kinderzimmer zumindest während der ersten Lebensmonate des Babys leer stehen zu lassen.

Sollten die Eltern diese unmittelbare Nähe zu ihrem Kind allerdings als unangenehm empfinden, sind die Vorteile des gemeinsamen Schlafens nicht mehr gegeben, denn der Unmut der Eltern überträgt sich auf das Kind. Wenn das Baby als »Eindringling« in die Beziehung zwischen Vater und Mutter gesehen wird, muß zum Wohle beider Seiten ein Kompromiß gefunden werden. Für manche Paare ist es die Ideallösung, wenn das Baby nicht in ihrem Bett, sondern in einem eigenen Bettchen direkt neben ihnen schläft. Damit ist beiden gedient: Mutter und Vater können sich nahe sein, und das Baby ist trotzdem bei ihnen. Um Kontakt mit dem Baby aufzunehmen, braucht die Mutter nur die Hand auszustrecken, und sie hat es auch schnell in den Arm genommen, wenn sie es füttern oder einfach nur trösten will. Ihr schönes warmes Bett braucht sie dafür nicht zu verlassen. Das Baby kann rund um die Uhr überwacht werden, und wenn es schläft, können die Eltern sich trotzdem so nahe sein wie früher, als das Baby noch nicht da war.

In vielerlei Hinsicht kommt dieser Kompromiß den urzeitlichen Verhältnissen sogar näher als das Schlafen zu dritt in einem Bett. In den neuzeitlichen Betten schlafen die Menschen ungewöhnlich eng beieinander, während unsere Urahnen es sich auf einer Art Lager am Boden bequem machten, das genug Platz für alle bot. Doch letztendlich ist es nicht so wichtig, ob das Baby zwischen oder neben den Eltern schläft; es kommt lediglich darauf an, daß es während der Nacht in ihrer Reichweite ist. Solange das Baby in der Nähe der Eltern schläft, kann es jederzeit in unmittelbaren Kontakt zu ihnen treten, und das vermittelt ihm ein Gefühl der Sicherheit — die Gewißheit, daß seine Beschützer immer in seiner Nähe sind, wenn es sie braucht. Genau das vermißt ein Baby, das ganz allein in seinem Kinderzimmer schlafen muß, und deshalb »trainiert es dann seine Lungen« jede Nacht ein paarmal auf herzzerreißende Weise.

In der Vergangenheit haben sich manche Mütter dafür geschämt, daß sie sich der »Tyrannei ihrer brüllenden Babys« beugten, wenn sie ihr Kind in die Arme und mit in ihr Bett nahmen. Dabei hatten eigentlich nur die Mütter wirklich Grund, sich zu schämen, die statt dessen irgendwelchen arroganten und falschen Lehren folgten und ihre Kinder nachts allein ließen, damit sie sich in einen unruhigen, einsamen und unnatürlich isolierten Schlaf weinten.

Träumen Babys?

J a, das tun sie — aber wovon sie träumen wird immer ein Geheimnis bleiben. Vielleicht gleiten sie in ihren Träumen zurück in die warme Umarmung des Uterus, hören das Atmen und den Herzschlag ihrer Mutter und erleben noch einmal das Gefühl der Schwerelosigkeit im Fruchtwasser, das ihnen einst so vertraut war. Vielleicht verarbeiten sie im Traum aber auch die neuesten Eindrücke, die aus dieser erschreckend andersartigen Welt tagtäglich auf sie einstürzen: grelle Farben und leise Geräusche, weiche Stoffe und starke Arme, die sie halten, warme Milch, die durch ihren Schlund läuft, und rundes Fleisch, das gegen ihre Lippen oder an ihre Wangen gepreßt wird.

Über den Stoff, aus dem die Babyträume sind, können wir nur Vermutungen anstellen, denn im Kindesalter haben wir sie bereits wieder vergessen, und es gibt auch keine Möglichkeit, sie wieder zurückzuholen. Trotz alledem können wir sicher sein, daß Babys träumen, denn sie schlafen in einer ganz typischen Weise. Sie haben zwei verschiedene Schlafphasen, genau wie Erwachsene: den inaktiven Tiefschlaf und die REM-Phasen, wobei REM für *rapid eye movement* (schnelle Augenbewegung) steht und bedeutet, daß der Tiefschlaf von einem Traumzyklus unterbrochen wird. Man kann beobachten, wie sich die Augäpfel hinter den Lidern bewegen, als wollten sie in verschiedene Richtungen blicken, während sie das Traumgeschehen verfolgen. Im Vergleich zur Tiefschlafphase könnte man die REM-Zyklen als leichteren Schlaf bezeichnen. Babys haben doppelt so viele REM-Phasen wie Erwachsene. Bei einem erwachsenen Menschen sind nur 25 Prozent des Schlafs REM-Phasen, bei einem Baby sind es jedoch 50 Prozent. Da

Babys doppelt soviel schlafen wie Erwachsene und außerdem noch doppelt so viele REM-Phasen haben, träumen sie innerhalb von 24 Stunden also viermal soviel wie Erwachsene. Erst kürzlich wurde die These aufgestellt, daß Träume dazu dienen, unseren Schlaf interessanter zu gestalten, damit wir Lust haben weiterzuschlummern und so jede Nacht das notwendige Schlafpensum zusammenbringen. Wenn Babys also soviel mehr träumen als Erwachsene, kann das nur bedeuten, daß es für sie lebenswichtig ist, ein Maximum an Zeit im Bett zu verbringen, und wenn man sich anschaut, wie verletzlich sie sind, erscheint diese Theorie sogar ganz plausibel. Schlaf bedeutet Sicherheit, und davon benötigt das körperlich hilflose Menschenbaby soviel wie möglich.

Wozu brauchen Babys Schmusetiere?

Gegen Ende der Babyzeit, im Alter von neun bis zwölf Monaten, entwickeln viele Kinder eine leidenschaftliche Beziehung zu irgendeinem Objekt. Es kann ein Kleidungsstück oder ein Teil vom Bettzeug sein, ein Tuch, ein Schal, eine Babydecke, ein Lappen oder auch ein weiches Spielzeug. Neben der Weichheit spielt auch der Geruch eine wichtige Rolle und natürlich die Tatsache, daß es beim Zubettgehen immer dabei ist. Da es sich durchweg um weiche Gegenstände handelt, eignen sie sich sehr gut zum Kuscheln, daher auch die volkstümliche Bezeichnung »Kuscheltiere«. Offiziell heißen sie »transitorische Trostobjekte«, doch die einzig richtige Bezeichnung wäre »Mutter-Ersatzobjekte«, denn das trifft den Nagel auf den Kopf.

Wenn die Mutter abends aus dem Zimmer geht, verspürt das Baby in seinem Gitterbettchen das dringende Bedürfnis nach mütterlicher Zuwendung – bekommt sie aber nicht. Manche Kinder haben noch nicht einmal ein geeignetes Ersatzobjekt, bei dem sie Geborgenheit finden könnten, wenn die echte Mutter geht. Zwei Drittel aller Kinder müssen in dieser heiklen Situation ohne Trösterchen auskommen. Wenn sie Glück haben, finden sie in ihrem Bettchen irgendeinen weichen Gegenstand oder ein Stück Bettzeug zum Kuscheln. Dann können sie ihren »Schatz« mit den kleinen Händchen oder Ärmchen umklammern, ihre Wange an den weichen Stoff drücken, sich darin einwickeln, daran saugen oder ihn sonst irgendwie nah bei sich behalten, woraus sich dann schon bald ein allnächtliches Ritual entwickelt. Diese Babys können sich noch vergleichsweise glücklich schätzen, denn sie finden in ihrer Einsamkeit noch ein klein wenig Trost; andere haben gar nichts. Aus diesem Grunde nutzen Kuscheltiere auch mehr, als sie schaden. Sie schaden eigentlich überhaupt nicht, auch wenn das von einigen Kritikern behauptet wird, die darin etwas Unnatürliches sehen. Nicht die Kuscheltiere sind unnatürlich, sondern die Angewohnheit, Kinder nachts allein zu lassen. In vielen Fällen beginnt die Fixierung auf ein Mutter-Ersatzobjekt auch erst nach der Babyzeit. Die Kinder, die plötzlich ihre große Liebe zu irgendeinem Objekt entdecken, sind häufig schon zwei oder drei Jahre alt. Bei einer kürzlich durchgeführten Untersuchung stellte sich heraus, daß nur 21 Prozent aller Babys gegen Ende des ersten Lebensjahres ein Kuscheltier besaßen. Es ist also eher typisch für die Kleinkindphase und während der Babyzeit von geringerer Bedeutung.

Kuscheltiere haben allerdings zwei kleinere Nachteile. Sie können ziemlich schmutzig werden und darüber hinaus wahre Katastrophen auslösen, wenn sie verlorengehen oder kaputt sind. Die Hygiene stellt insofern ein Problem dar, als der ganz besondere Geruch solcher Objekte einen Teil ihres Reizes ausmacht. Wenn sie zu gründlich gewaschen werden, verlieren sie an Anziehungskraft, doch manchmal sind solche Maßnahmen unvermeidbar. Ein weiteres Risiko besteht darin, daß irgend jemand die Bedeutung dieses Objekts völlig verkennt und es angewidert wegschmeißt; es könnte auch verlegt oder zerstört werden oder sich einfach nach zu häufiger Benutzung in seine Bestandteile auflösen. All das kann zu ernsthaften Krisen führen. Wenn die Familie in die Ferien fährt, ohne an das Kuscheltier gedacht zu haben, kann die Urlaubsfreude dadurch erheblich beeinträchtigt werden. Für viele Kinder nehmen diese Objekte die Bedeutung real existierender Personen an, und da sie in ihren Augen zur Familie gehören, müssen sie auch mit dem notwendigen Respekt behandelt werden. Die einfachste Lösung für beide Probleme — Hygiene und Verlust — ist die Anschaffung eines Duplikats, sobald man merkt, daß die Kinder sehr an einer bestimmten Sache hängen. Mit diesem

Ersatz für den Ersatz wird man zwar kein Kind zum Narren halten können, aber im Zweifelsfall nehmen sie immer lieber das Duplikat als gar nichts, und oft ist das Original schon bald darauf vergessen.

Die meisten Kinder brauchen ihr Kuscheltier nur zum Schlafengehen oder wenn sie außergewöhnlichen Belastungen ausgesetzt sind. Es kann zum Beispiel enorm tröstlich sein, wenn Kinder ins Krankenhaus müssen und in diese erschreckend fremde Umgebung etwas ganz Vertrautes mitnehmen können. Wenn Babys oder Kleinkinder ihr Kuscheltier plötzlich öfter brauchen und es auch am Tage verlangen, kann das ein wertvolles Streßbarometer für die Eltern sein, an dem sie ablesen können, daß ihr Sprößling unter ungewöhnlichem Druck steht. So können sich Dinge offenbaren, die sonst vielleicht im verborgenen geblieben wären. Nur sehr wenige Kinder sind so abhängig von ihrem Kuscheltier, daß sie es ständig bei sich haben müssen; in diesem Fall sollte man sich allerdings ernsthaft fragen, ob sie nicht psychisch aus dem Gleichgewicht geraten sind, denn ein solch starkes Sicherheitsbedürfnis ist eindeutig übertrieben.

Wie spielen Babys?

Viele Neugeborene finden ein Kinderzimmer voller teurer Spielsachen vor, wenn sie aus der Klinik nach Hause kommen. Als Zeichen elterlicher Liebe sind sie sicher beeindruckend, doch für das Baby kommen all diese Dinge viel zu früh. Erst im zweiten Lebensjahr, wenn die Babyzeit zu Ende geht und die Kleinkindphase beginnt, gewinnen sie an Bedeutung. Während des ersten Jahres braucht das Baby zur Befriedigung seiner spielerischen Bedürfnisse keine raffinierten Spielzeuge, sondern nur ganz einfache, lustige Interaktion mit den Eltern.

Während der ersten Lebenswochen ist das Spielen noch nicht wichtig. Das Baby ist noch vollauf damit beschäftigt, sich an seine neue Umgebung zu gewöhnen. Im zweiten Monat findet es dann Spaß daran, interessante Schatten über seinem Bettchen zu beobachten. Im weitesten Sinne des Wortes könnte man sagen, daß das erste Babyspiel das *Beobachten von Mobiles* ist. Wenn über dem Bettchen etwas hängt, was sich leicht unregelmäßig und spontan bewegt, kann man beobachten, daß Babys auch schon in diesem zarten Alter von den wechselnden Positionen der Schatten fasziniert sind und sie genau mit den Augen verfolgen. Jedes Objekt, das durch die Luft schwebt, wie beim klassischen Mobile, oder wackelt und flattert, wenn das Baby sich bewegt, erweckt höchstes Interesse. Wiederholt sich die Bewegung der Schatten jedoch allzu häufig in derselben Weise, läßt das Interesse langsam nach. Darin offenbart sich eines der grundlegenden Gesetze menschlichen Spiels: Der Reiz des Neuen ist unverzichtbar für den Spaß am Spiel.

Mit drei Monaten bieten dann *Rasseln* ein neues Stimulans. Alles, was ungewöhnliche Geräusche von sich gibt, wenn es angestoßen oder berührt wird, ist ausgesprochen attraktiv. Noch interessanter ist es, wenn das Baby die merkwürdigen Töne selbst erzeugen kann, indem es das Ding in die Hand nimmt und schüttelt. Verschiedene Gegenstände werden nach äußerer Beschaffenheit, Form, Farbe und möglichen Geräuschen untersucht. Das Baby entdeckt die Welt der »Dinge«.

Doch den größten Spaß hat das Baby an vergnüglichen Spielen mit den Eltern, und da gibt es auf der ganzen Welt eine Vielzahl von typischen Spielen, die schon für sehr kleine Babys geeignet sind: *Fratzenschneiden, Guck-Guck, leichtes Kitzeln, Flugzeug* und vieles andere mehr. Das wichtigste Element im Blickfeld des Babys ist das elterliche Gesicht ganz in seiner Nähe. Sobald es irgendwann zwischen dem vierten und sechsten Lebensmonat die Gesichter seiner Eltern erkennen kann, ist der richtige Zeitpunkt für Gesichtsspiele gekommen. Es weiß, daß diese Gesichter ihm freundlich gesonnen sind, und kann sich deshalb auch über die merkwürdigen Veränderungen in diesen Gesichtszügen freuen. Die Eltern merken, daß es ihrem Baby Spaß macht, wenn sie Grimassen schneiden oder ihr Gesicht verstecken und plötzlich wieder auftauchen lassen. Das Kind freut sich über die Entdeckung, daß vertraute Dinge beweglich sind und sich verändern können, denn das bedeutet, daß sie vertraut und neu zugleich sein können, womit wir einer weiteren Grundvoraussetzung für den Spaß am Spiel auf die Spur gekommen wären.

Körperbezogene Spiele wie leichtes Kitzeln, Nasenstupser oder auch das schön-schreckliche Fliegen, bei dem die Eltern das Baby hoch in die Luft halten und von einer Seite zur anderen schaukeln, lassen das Forscherherz eines jeden Babys höher schlagen. Es lernt viele verschiedene Gefühle kennen und macht erste Erfahrungen mit dem Gleichgewicht und der Schwerkraft. Mit Hilfe solcher Spiele entwirft das Baby langsam ein geistiges Bild von sich selbst in seiner neuen Welt – die noch immer sehr geheimnisvoll ist. Manche Eltern spielen zuwenig mit ihren Babys, andere zuviel. Das Risiko der Übertreibung ist allerdings sehr gering, denn wenn das Spiel zu intensiv wird oder zu lange dauert, gibt das Baby seinen Eltern durch Gestik, Mimik und Geschrei sehr deutlich zu verstehen, daß das Vergnügen jetzt zur Angstpartie wird. Normalerweise brechen die Eltern das Spiel dann sofort ab. Problematischer ist es, wenn die Eltern zuwenig mit ihrem Kind spielen, denn das Baby hat kaum Möglichkeiten, die Eltern zum Spielen zu animieren. Früher, als noch strengere Erziehungsmaßstäbe galten, erwartete man von den Babys, daß sie möglichst lange allein in ihren Bettchen oder Kinderwagen liegen blieben. Die Rolle der Eltern war dabei sehr begrenzt, denn die Kinder sollten ja schließlich von der ruhigen Abgeschiedenheit profitieren. Doch heute weiß man, daß kleine, lustige Spielchen mit den Eltern sehr wichtig für die geistige Entwicklung des Kindes sind. Ein Zuviel kann es da kaum geben. Auch ganz kleine Babys haben schon ihre Freude an der Rhythmik von Wiegenliedern und Kinderreimen. Sie verstehen zwar kein einziges Wort, aber der Rhythmus und der Tonfall faszinieren sie. Das Aufregendste an der Sache ist, daß die Geräusche von Personen ausgehen, die ihnen mittlerweile vertraut sind.

Wenn Babys allein gelassen werden, geben sie sich nicht etwa dem Müßiggang hin. Sie verbringen viel Zeit damit, ihre eigenen Hände zu untersuchen, und sobald sie Dinge in den Mund stecken können, setzen sie auch ihre sensiblen Lippen und das Zahnfleisch zur Erforschung ihrer Umwelt ein. Neben diesem *Hand-Spiel* und dem *Mund-Spiel* haben die kleineren Babys aber noch eine weitere Lieblingsbeschäftigung: *Bumm-Bumm*. Sie machen die wundervolle Entdeckung, daß man laute Geräusche erzeugen kann, indem man auf bestimmten Dingen herumhaut. *Plitsch-platsch* ist dann die feuchtfröhliche Variante für die Badewanne. Durch all diese Tätigkeiten will das Baby herausfinden, wie stark es ist und in welchem Maße es auf seine Umgebung einwirken kann. Diese sogenannten Macht-Spiele stehen auch bei älteren Kindern noch sehr hoch im Kurs. Hier lautet das spielerische Gesetz: den größtmöglichen Erfolg erzielen. Am lustigsten ist das Spiel, wenn man mit möglichst geringem Aufwand möglichst viel erreicht. Ein einfaches Beispiel wird uns dieses Prinzip verdeutlichen: Ein Schlag auf einen Luftballon löst eine relativ starke Bewegung aus — Aufwand und Wirkung stehen in einem sehr günstigen Verhältnis zueinander —, und deshalb sind Ballons für Kinder auch viel interessanter als zum Beispiel schwere Bälle, die sich unter den gleichen Umständen kaum bewegen. Dementsprechend sind auch kleine Gegenstände, die ein unerwartet lautes Geräusch von sich geben, faszinierend für Kinder. Der Grund ist klar: Wenn ein Kind mit irgendeinem Objekt einen unverhältnismäßig großen Erfolg erzielen kann, fühlt es sich größer und stärker, als es in Wirklichkeit ist.

Diese Freude an der Macht ist ein wichtiger Aspekt bei kindlichen Spielen. Kinder sind begeistert, wenn sie Knalleffekte auslösen können. Deshalb spielen kleine Babys auch so gern *Umwerfen*. Sie beobachten in aller Ruhe, wie ihre eifrigen Eltern einen wunderschönen Turm aus Klötzen oder Scheiben bauen, und kippen dann alles möglichst geräuschvoll wieder um. Zerstören macht schon sehr viel früher Spaß als Aufbauen. (Daraus ließe sich der Schluß ziehen, daß Soldaten eine infantilere Freude an ihrem Beruf haben als Architekten.)

Im Alter von sechs bis sieben Monaten gewinnen andere Spiele an Bedeutung. In diesem Alter beginnen die Babys, sich für die Begegnung mit Gleichaltrigen zu interessieren. Es macht ihnen Spaß, den Körper anderer Babys zu erforschen und ihre Handlungen zu beobachten. In diesem Alter sind sie auch fasziniert von ihrem Spiegelbild, obwohl sie noch nicht genau verstehen, wie ein Spiegel funktioniert. Jetzt wird das *Verstecken und Suchen* interessant. Es beginnt mit einem »halbversteckten« Spielzeug und entwickelt sich langsam zu einem richtigen Versteckspiel.

Auch Gymnastik betreibt das Baby jetzt schon mit wachsender Begeisterung, wobei ihm Hilfsmittel wie der *Babyhopser* natürlich ungeahnte Möglichkeiten eröffnen. Der Babyhopser ist eine Art Stoffsitz, der in den Türrahmen gehängt wird, und wenn sich das Baby mit den Beinen abstößt, springt es mitsamt seinem Sitz in die Luft.

Gegen Ende der Babyzeit spielen die Kinder liebend gern *Aufheben* — auch ein Machtspiel. Dabei wirft das Baby mit größtem Vergnügen irgendwelche Spielsachen oder andere Objekte weg, die sich zufällig in seiner Reichweite befinden, und den leidgeprüften Eltern kommt dann die ehrenvolle Aufgabe zu, diese Dinge immer wieder aufzuheben. Bei Spielen dieser Art kann das Baby seine Macht gleich zweifach unter Beweis stellen: Es bringt einen Gegenstand zum Fliegen, und seine Eltern bücken sich auch noch danach. Die etwas kooperativere Version ist dann das *Geben und Nehmen*, bei dem die Eltern Dinge ausgehändigt bekommen, die sie kurz darauf wieder zurückgeben müssen. Aus diesem Tauschritual entwickeln sich dann kompliziertere Spiele wie *Ineinanderstecken* — kleinere Objekte werden in größere gesteckt, bis alle verschwunden sind — oder *Auseinandernehmen* — komplexe Gegenstände werden Stück für Stück demontiert.

Auch der große Tag, an dem das Baby kein Baby mehr ist und ganz allein laufen kann, läßt sich auf vielerlei Weise spielerisch vorwegnehmen. Da gibt es zum Beispiel die lustigen *Rutschautos* oder auch die *Lauflerngeräte*. Die Rutschautos sind so konstruiert, daß sie bei einem eventuellen Sturz nicht auf das Kind fallen, und die Lauflerngeräte sind eigentlich Babyhopser auf Rädern: ein rollender Stoffsitz, den das Baby durch das Herumstrampeln mit seinen kleinen Beinen hin und her fahren lassen kann (für gewöhnlich mehr her als hin).

All diese Spiele und Spielsachen sind aber eigentlich erst interessant, wenn die Eltern dabei sind, als Mitspieler oder auch als Beobachter. In der Rolle des Zuschauers haben die Eltern neben ihrer Wach- und Schutzfunktion auch noch andere wichtige Aufgaben zu erfüllen: Sie müssen Erstaunen bekunden, Beifall klatschen und die Freude des Babys an seinen kindlichen Spielen von ganzem Herzen teilen.

Wann fangen Babys an zu krabbeln?

Manche Tiere können schon am Tag ihrer Geburt frei herumlaufen; das Menschenbaby muß sich da sehr viel länger gedulden. Die Fortbewegung beginnt ungefähr im sechsten Lebensmonat, wobei sich die körperlichen Fähigkeiten langsam nach einem relativ festgelegten Programm entwickeln. Nachdem das Baby viele kleinere Bewegungsabläufe geübt hat, erfolgt schließlich die erste richtige Vorwärtsbewegung, das Krabbeln auf Händen und Knien.

Zu Anfang haben Babys keinerlei Möglichkeit, von A nach B zu gelangen. Die ersten Aktionen sind kleinere Handbewegungen, die normalerweise dem Erforschen und dem sanften Streicheln der Mutterbrust dienen. Aus diesen plumpen Gesten entwickeln sich dann Greif-, Drück- und Reibbewegungen, mit deren Hilfe die Kinder die Welt der Dinge begreifen lernen: Sie erfahren, daß Gegenstände rauh oder weich, warm oder kalt, hart oder weich sein können.

Ganzkörperbewegungen finden in den ersten Wochen eigentlich nur statt, wenn das Baby sich vor Schmerz oder Aufregung krümmt und windet. Irgendwann gelingt ihm dann die erste kleine Fortbewegung, indem es sich mit den Fersen vom Boden abstößt. Es macht einen Satz nach vorn und hat damit die erste Ganzkörperbewegung seines Lebens ausgeführt, auch wenn sie noch recht unorganisiert ist.

Mit einem Monat können die Babys dann aus der Bauchlage heraus den Kopf für kurze Zeit hochhalten. Damit scheinen sie sich gegen die Bauchlage wehren zu wollen, und nach längerem Üben können sie sich auch tatsächlich selbst aus dieser Position befreien. Die vollständige Kopfkontrolle ist allerdings erst mit etwa drei Monaten erreicht. Kurz darauf treten dann die Hände in Aktion. Sie werden nach kleineren Objekten ausgestreckt, die sie dann auch schon halten können. Bald darauf werden die Gegenstände zum Mund geführt, der alle beweglichen Dinge auf ihre Beschaffenheit hin untersucht. Als nächstes schiebt das Baby dann den eigenen Fuß in den Mund und spielt mit den Lippen an seinen Zehen herum.

Im Alter von ungefähr vier Monaten stehen die ersten richtigen Vorübungen für das Krabbeln auf dem Programm. Das Baby drückt sich mit den Armen hoch, als wollte es Liegestütz für Kinder ausprobieren. Mit fünf Monaten kann es sowohl die Brust als auch den Po hochdrücken, aber nicht gleichzeitig. Es sieht so aus, als ob das Kind die beiden Hälften des Krabbelns gelernt hätte, sie aber noch nicht zu einem richtigen Vorwärtskrabbeln kombinieren kann. Ungefähr zur gleichen Zeit kann es auch allein aus der Rücken- in die Bauchlage rollen und umgekehrt, was ihm schon eine begrenzte Fortbewegung ermöglicht.

Mit sechs Monaten kann das Baby »Flugzeug« spielen: Es liegt auf dem Bauch und hebt Arme und Beine gleichzeitig vom Boden ab. Manche Babys können dabei sogar ein bißchen hin und her schaukeln. Ungefähr zur gleichen Zeit fangen viele Babys an zu »robben«: Sie nehmen Arme und Beine zu Hilfe und schieben sich in Bauchlage auf dem Boden herum. Sehr viel weiter vorwärts bringt sie diese Art der Fortbewegung allerdings nicht.

Mit sieben Monaten ist das Baby in seiner Körpermitte dann soweit gefestigt, daß es frei sitzen kann, ohne gleich wieder umzufallen. Mit etwa acht Monaten fängt es dann endlich an zu krabbeln: Brust und Bauch werden vom Boden abgehoben, und die Fortbewegung erfolgt durch abwechselnde Arm- und Beinbewegungen. Die Beine sind angewinkelt, und die Hauptarbeit wird nicht von den Händen und Füßen, sondern von den Händen und Knien ausgeführt. Die ersten Versuche sind nicht immer gleich die gelungensten, vor allem weil das Rückwärtskrabbeln zu Anfang leichter fällt als das Vorwärtskrabbeln. Da ist es dann sehr frustrierend, wenn das begehrte Spielzeug vor dem Baby liegt und die benötigte Vorwärtsbewegung erst mühevoll erarbeitet werden muß.

Hat das Baby den Bogen erst einmal heraus, wird das Krabbeln zwischen dem neunten und zwölften Monat immer schneller. Die neue Beweglichkeit bereitet dem Baby große Freude. Es wird von seinem eigenen Forscherdrang schier überwältigt und ist oft erstaunlich schnell verschwunden, wenn es etwas Neues zu entdecken gibt. Das Krabbeln macht ihm soviel Spaß, daß ihm die nächste Entwicklungsstufe – das Laufen – vorerst noch gar nicht so erstrebenswert vorkommt. Doch das bleibt nicht lange so. Wenige Monate später wird das Krabbeln fast völlig vergessen sein, ein altes Verhaltensmuster, das nur noch in Ausnahmesituationen auftritt. Sobald das Kind den aufrechten Gang beherrscht, verschwindet das Krabbeln für immer in der Vergessenheit.

Wann fangen Babys an zu laufen?

Nach meiner Definition ist ein Baby, das schon laufen kann, kein Baby mehr. Das selbständige Laufen gegen Ende des ersten Lebensjahres setzt einen Schlußstrich unter die Babyzeit. Wann genau die ersten Schritte erfolgen, ist von Kind zu Kind sehr unterschiedlich, doch normalerweise ist das große Ereignis irgendwo zwischen dem zehnten und dem sechzehnten Monat angesiedelt. Sollte das Kind mit achtzehn Monaten immer noch nicht allein laufen können, so ist ein Besuch beim Kinderarzt angezeigt.

Natürlich kann ein Kind nicht von heute auf morgen laufen. Diese Art der Fortbewegung ist das Ergebnis einer stufenweisen Entwicklung, die schon erstaunlich früh beginnt, denn die ersten Ansätze sind schon wenige Tage nach der Geburt erkennbar: Wenn die Eltern das Neugeborene in vertikaler Position so halten, daß die Füße ganz knapp eine harte Unterlage berühren, stemmt das Baby seine Beine mit aller Kraft nach unten und fängt an auszutreten, als ob es loslaufen wollte. Das ist natürlich eine Reflexhandlung, die automatisch erfolgt und weder kontrolliert noch verändert werden kann. Bis heute weiß man nicht, warum diese Bewegungen ausgeführt werden, doch sie verweisen eindeutig auf die zukünftige Entwicklung dieses kleinen Menschen, der stolz zu verkünden scheint: »Ich bin auf Laufen programmiert.«

In diesem Alter ist das Neugeborene körperlich noch sehr schwach und außerdem sehr kopflastig, denn im Vergleich zu seinem winzigen Körper ist der Kopf riesengroß. Das Baby könnte üben und trainieren, soviel es will, in den ersten Lebensmonaten hat es ohne Hilfe keinerlei Chance, auch nur einen einzigen vernünftigen Schritt zustande zu bringen. In der zweiten Phase ist die reflexartige Beinbewegung des Neugeborenen schon wieder verschwunden. Sie bleibt nur ungefähr 14 Tage lang erhalten. Hält man ein einmonatiges Baby vertikal ganz knapp über eine harte Unterlage, so tritt es nicht mehr nach unten aus, um loszulaufen. Statt dessen sackt es ganz einfach in den Knien zusammen. Die alte — instinktive — Reaktion ist verschwunden, und für das richtige Laufen ist es noch zu früh. Die dritte Phase beginnt ungefähr mit drei Monaten (manchmal auch erst mit sechs Monaten). Jetzt sackt das Baby über einer harten Unterlage nicht mehr in den Knien zusammen. Die kurzen Beinchen zeigen schon mehr Entschlossenheit. Sie werden versteift und gestreckt und so darauf vorbereitet, eines Tages das ganze Körpergewicht allein zu tragen. Im Laufe der Wochen gelingt dieser Versuch immer besser, bis das Baby schließlich mit Hilfe seiner Eltern aufrecht stehen und stolz herumschauen kann.

Zwischen dem sechsten und dem neunten Monat beginnt dann die vierte Phase: die Möbelzeit, in der das Baby alle verfügbaren größeren Gegenstände dazu benutzt, sich hochzuziehen. Normalerweise hat es schon bald irgendeinen Lieblingsplatz, an dem es dann mit stolzgeschwellter Brust steht und herumschaut, während es sich noch an dem Möbelstück festhält. Jetzt entdeckt es auch ein Grundgesetz des Kletterns, daß das Hochkommen nämlich oft leichter ist als das Herunterkommen. Wie ein Kind, das auf einem Apfelbaum festsitzt, fragt es sich verzweifelt, wie es nun wieder auf den sicheren Boden zurückkommen soll. Es läßt sich nicht umgehen, daß die ersten mutigen Stehversuche mit einer recht unsanften Landung enden. Das Kind klappt plötzlich nach unten zusammen und plumpst auf den Boden. Doch solche momentanen Rückschläge können ein Baby kaum erschüttern; es zieht sich schon bald wieder hoch und übt so lange weiter, bis sich die Beine an das sonderbare Gefühl gewöhnt haben, das ganze Körpergewicht zu tragen.

Danach kann die fünfte Phase beginnen. Zwischen dem

neunten und dem zwölften Monat läuft das Baby zum erstenmal richtig vorwärts, wobei ihm die Erwachsenen zu Anfang natürlich helfen. Bei den ersten schwankenden Schritten halten die Eltern die Hand ihres Sprößlings noch fest umklammert. Das Ganze ist für das Kind ungeheuer spannend, manchmal aber auch ein wenig frustrierend, denn es verliert noch relativ häufig das Gleichgewicht. Doch mit jedem neuen Anlauf bekommt es seine neue Fortbewegungsart besser unter Kontrolle, und irgendwann ist dann der große Augenblick gekommen: Die Phase sechs, das selbständige Laufen, wobei die stolzen Eltern meistens mit ausgestreckten Armen am anderen Ende des Raumes hocken. Die Freude über diese ersten Schritte ist unübersehbar, als ob der Mensch nun endlich seine Bestimmung erfüllt hätte. Und das ist auch tatsächlich der Fall, denn wir sind die einzigen Säugetiere, die lange auf zwei Beinen laufen können. Von allen 4237 Säugetierarten, die heute noch leben, sind die Menschen die einzigen, die wirklich auf zwei Beinen gehen. Känguruhs bewegen sich zwar auch auf den Hinterbeinen fort, aber sie hüpfen; Bären und einige Affenarten können sich zwar aufrichten und ein paar schwankende Schritte machen, sind aber nicht in der Lage, in dieser Haltung längere Strecken zurückzulegen. Der aufrechte Gang auf zwei Beinen ist das herausragendste biologische Merkmal des Menschen.

Diese typisch menschliche Fähigkeit überlebt selbst die rigidesten Erziehungsmethoden. In manchen Kulturkreisen waren Babys generationenlang extremen Einschränkungen unterworfen. Bei einigen Stämmen wurden die Säuglinge sogar über längere Zeiträume hinweg auf harte Bretter gebunden, weil man sie so leichter transportieren konnte. Losgebunden wurden sie nur, wenn lebensnotwendige Dinge zu verrichten waren oder die Kinder einmal gebadet werden mußten. Natürlich entwikkelten diese Babys keine normale Muskeltätigkeit. Im Alter von einem Jahr waren sie nicht in der Lage zu krabbeln, geschweige denn zu laufen. Doch sobald sie von ihren Fesseln erlöst waren, holten sie die anderen Kinder in kürzester Zeit ein. Trotz der zeitlichen Verzögerung in der Muskelentwicklung hatten sie den Zeitverlust schon bald wieder wettgemacht. Daran läßt sich erkennen, daß in jedem Baby ein unaufhaltsamer Reifeprozeß stattfindet, der kaum gestoppt werden kann.

Wie gut können Babys schwimmen?

M an hat sehr lange angenommen, Babys könnten nicht schwimmen und seien in der Nähe von Wasser grundsätzlich gefährdet. Kein Mensch hätte je geglaubt, daß es anders sein könnte, denn schließlich gab es ja genügend tragische Beispiele von Kindern, die in flachen Gartenteichen ertrunken waren. Und wenn man Babys zu Testzwecken langsam in angenehm warmes Wasser gleiten ließ, begannen sie wild um sich zu schlagen, mit Wasser zu spritzen, zu husten und sich verzweifelt festzuklammern. Babys und Wasser vertrugen sich ganz offensichtlich nicht. Doch in den dreißiger Jahren förderte eine neuartige Testmethode plötzlich ganz andere Erkenntnisse zutage. Es gab überhaupt keinen Zweifel – wenn man die Sache richtig anging, konnten Babys schwimmen.

Die wichtigste Entdeckung war, daß alles davon abhing, in welcher Position das Baby ins Wasser eintauchte. In den früheren Tests hatte man immer der typischen Badewannenstellung den Vorzug gegeben, d. h., das Baby wurde in Rückenlage mit dem Gesicht nach oben gehalten. Sobald der ganze Körper unter Wasser war und nur noch das Gesicht herausschaute, zeigte das Baby erste Anzeichen von Streß und fing an, Arme und Beine von sich zu werfen, als ob es sich irgendwo festhalten wollte. Wenn auch noch das Gesicht unter Wasser getaucht wurde, geriet es vollends in Panik und mußte schnellstens wieder herausgeholt werden. Bei den neuen Tests wurde eine andere Methode ausprobiert. Man ließ die Babys langsam mit dem Gesicht nach unten ins Wasser gleiten – und siehe da, es funktionierte. Anstatt wild um sich zu schlagen, lagen sie ganz einfach ruhig im Wasser. Da gab es kein Husten und kein Spritzen; sie blieben mit dem Gesicht nach unten liegen und hielten die Luft an. Ohne weiterzuatmen, tauchten sie mit weit geöffneten Augen unter die Wasseroberfläche und begannen mit reflexartigen Schwimmbewegungen. Wenn die Erwachsenen sie dann ganz vorsichtig losließen, konnten sie sich mit Hilfe ihrer kleinen Schwimmbewegungen ganz allein voranbringen. Auch Babys, die erst wenige Wochen alt waren, beherrschten dieses regelmäßige Vorwärtsschwimmen erstaunlich gut, und damit wurde zum erstenmal der Beweis erbracht, daß Menschenbabys in diesem zarten Alter von Natur aus schwimmen können. Natürlich müssen sie dabei gut überwacht werden, und das Wasser muß sehr warm und frei von aggressiven Chemikalien wie Chlor sein, denn sonst könnten die weit geöffneten Augen anfangen zu schmerzen. Unter den richtigen Voraussetzungen scheint neugeborenen Babys die Fortbewegung im Wasser wesentlich leichter zu fallen als auf dem Land. Wenn man sie in Bauchlage hoch in die Luft hält, fangen sie auch an zu »schwimmen«, doch diese Bewegungen in der Luft sind wesentlich unregelmäßiger und weniger rhythmisch. Sobald sie unter die Wasseroberfläche kommen, werden die Bewegungen dann wieder weicher und gleichmäßiger. Es sieht ganz so aus, als könnten die Menschen schon schwimmen, bevor sie überhaupt in der Lage sind, zu laufen oder auch nur zu krabbeln.

Doch die Sache hat leider einen Haken. Das Schwimmtalent der Neugeborenen ist nur von kurzer Dauer. Es verschwindet innerhalb weniger Monate. Wendet man den Neugeborenentest bei vier Monate alten Babys an, geraten sie unabhängig von ihrer Position im Wasser sehr schnell in Panik. In Bauchlage bleiben sie noch einen Augenblick lang ruhig, doch dann fangen sie an, sich zu drehen, bis das Gesicht nach oben zeigt. In der Rückenlage fangen sie dann erst recht an zu zappeln und panisch zu reagieren. Sie versuchen, sich an dem nächstbesten Erwachsenen festzuklammern, reiben ihre Gesichter, als wollten sie das Wasser wegwischen, sinken immer tiefer und schlucken Wasser. Das alles passiert sehr schnell, und ebenso schnell müssen die Kinder dann auch wieder aus dem Wasser gezogen werden. Man kann sich kaum vorstellen, daß dieselben Babys noch wenige Wochen zuvor mit größtem Vergnügen allein durchs Becken schwimmen konnten! Testet man die Kinder dann ein paar Jahre später noch einmal, stellt sich die Situation wieder ganz anders dar. Wenn man sie jetzt langsam in Bauchlage ins Wasser gleiten läßt, probieren sie eine neue Methode aus. Statt automatisch zu reagieren wie bei den frühen Reflexbewegungen, versuchen sie jetzt, das Schwimmen zu *lernen*. Diesmal ist die Handlung beabsichtigt und erfolgt freiwillig, die Bewegungen sind allerdings nicht so rhythmisch und gleichmäßig wie früher. Von nun an können sich die Kinder mit Hilfe von Schwimmringen selbst an das Wasser gewöhnen, und im Alter von vier Jahren können sie dann ohne jede Hilfe kürzere Strecken schwimmen – vorausgesetzt, daß sie jeden Tag im Wasser waren.

Es gibt bei einem jungen Menschen also drei verschiedene Phasen der Schwimmentwicklung: »die frühe Reflexreaktion«, »eine angstbesetzte Übergangszeit« und »das erlernte Verhalten«. In der ersten Phase, die sich von der Geburt bis zum dritten oder vierten Lebensmonat erstreckt, erfolgt das Schwimmen automatisch und instinktiv. Das Baby schwimmt durchs Wasser wie die meisten anderen Säugetiere auch, wobei der Reflex von den älteren Gehirnzentren auszugehen scheint. Die neugeborenen Jungen anderer Säugetierarten reagieren auf Wasser genauso wie ein Menschenbaby: Sie halten den Atem an und führen genau die gleichen Bewegungen aus, auch wenn sie an sich gar nicht für das Leben im Wasser geschaffen sind.

Man könnte meinen, sie fühlen sich kurzfristig »in den Mutterleib zurückversetzt« – doch ganz so einfach ist es nicht. Als sie noch im Fruchtwasser schwammen, brauchten sie noch nicht aktiv die Luft anzuhalten, denn die Lungenatmung hatte ja noch gar nicht eingesetzt. Es ist also etwas Neues und ganz

Besonderes, daß sie den Atem anhalten, wenn sie untergetaucht werden. Die warme Flüssigkeit mag ihnen zwar angenehm vertraut erscheinen und dadurch auch beruhigend wirken, aber die reflexartigen Schwimmbewegungen des Neugeborenen können nicht mit den Bewegungen eines Fötus im Mutterleib verglichen werden, denn in der Gebärmutter haben Babys gar nicht genug Platz zum Schwimmen.

Vielleicht verschafft ihnen die Erinnerung an den Mutterleib die notwendige Ruhe, die sie zum Schwimmen brauchen, doch die Atemkontrolle und die synchronisierten Körperbewegungen lassen sich damit nicht erklären. Wahrscheinlich können wir in dieser Entwicklungsphase des Babys einen kurzen Blick auf ein früheres Stadium in der Evolutionsgeschichte der Menschheit werfen. In grauer Vorzeit sollen wir ja eine Phase durchlaufen haben, in der wir mehr im Wasser lebten. Vielleicht sind die Schwimmbewegungen des Neugeborenen ein Überbleibsel aus jenen Tagen, als wir im Wasser noch ganz zu Hause waren.

Wenn dann in der zweiten Hälfte der Babyzeit die höheren Gehirnzentren die Führung übernehmen, verschwindet diese »primitive« Neugeborenen-Reaktion. Das Baby fängt an zu denken und trifft schon bald auf erste Schwierigkeiten. Das angeborene Vertrauen zum Wasser schwindet langsam dahin und kehrt erst Jahre später zurück, wenn das »denkende« Kind schließlich schwimmen gelernt hat – der Instinkt spielt dann keine Rolle mehr. Diese Übergangzeit vom alten zum höherentwickelten Verhaltensmuster kann für das Kind gefährlich werden, weil die Instinkte nachlassen und die neue Fähigkeit noch nicht erlernt ist. Deshalb müssen die Eltern ihre Kinder in dieser Zeit besonders gut überwachen, denn sonst kann es in unbeobachteten Augenblicken zu den befürchteten Unfällen kommen.

Ein interessanter Nebenaspekt in dieser Diskussion um das »Wasserbaby« ist die neue Mode, Babys unter Wasser zur Welt zu bringen. Solche Wassergeburten, für die es spezielle Geburtsbecken gibt, wurden in Rußland, Deutschland, Frankreich, Großbritannien und in den Vereinigten Staaten schon erfolgreich durchgeführt. Da diese Art der Entbindung recht ungewöhnlich ist und viele Mütter zudem Angst haben, ihr Neugeborenes könne ertrinken, ist die Unterwassergeburt nicht sehr verbreitet, doch die mutigen Eltern, die es – unter fachmännischer Anleitung – probiert haben, berichten, daß die Geburt für die Mutter sehr viel angenehmer sei und das Baby wesentlich weniger strapaziert werde. In den modernen Geburtsbecken kann die Mutter sich auch mehr in die Vertikale begeben und sich so die Vorteile der Schwerkraft zunutze machen. Die Geburt ist bei weitem nicht so schmerzhaft wie sonst, und die Mutter ist viel entspannter. Beim Verlassen des Geburtskanals wird das Neugeborene von sehr warmem Wasser aufgenommen, was seiner bisher gewohnten Umgebung im Mutterleib natürlich sehr viel ähnlicher ist. Auf diese Weise kann es sich Schritt für Schritt an seine neue Welt gewöhnen und muß nicht mit einer Explosion von neuartigen Eindrücken und Aufgaben fertig werden. Wenn es sich von dem Geburtsschock erholt hat, kann es erst einmal an die Brust gelegt werden und die Brustwarze suchen. Ganz allmählich wird es dann aus dem Wasser gehoben und kann in der sicheren Umgebung seiner Mutter mit der Lungenatmung beginnen. Da die Nabelschnur nach der Geburt noch mehrere Minuten weiterpulsiert, besteht keinerlei Grund zur Eile. Das Neugeborene weiß instinktiv, daß es unter Wasser nicht atmen darf und wird seinen ersten Atemzug deshalb auch erst wagen, wenn es sich eindeutig über der Wasseroberfläche befindet. Auch die Frauen fühlten sich durch die Unterwassergeburt von einem ungeheuren Druck befreit. Der Körper der Mutter »öffnet sich wie eine Blume«, und die Tragkraft des Wassers verleiht ihr viel mehr Energie und Beweglichkeit für die Geburt ihres Babys. Trotz der Vorteile für Mutter und Kind sind die meisten Ärzte jedoch gegen diese Methode, weil der Geburtsvorgang unter Wasser sehr viel schwieriger zu überwachen ist. Bei einer normalen Spontangeburt sind solcherlei Einwände grundlos, doch wenn mit Schwierigkeiten zu rechnen ist, sieht die Sache schon anders aus. Normalerweise wissen die heutigen Frauen aber dank der modernen Technologie schon im voraus, welche Art von Geburt sie erwartet, und können sich dementsprechend einrichten.

Kann man Babys verziehen?

Verzogen wird ein Baby durch zuviel Disziplin, nicht durch Verhätscheln. Diese der üblichen Sichtweise diametral entgegengesetzte Auffassung bedarf wohl einer näheren Erklärung. Es wird oft behauptet, Babys würden schreien, um »sich gegen ihre Eltern durchzusetzen« und »sie nach ihrer Pfeife tanzen zu lassen«, als wären sie kleine Teufel, welche die Erwachsenen nur austricksen wollten. In früheren Zeiten war es gang und gäbe, daß die Eltern das Geschrei ihres verzweifelten Kindes einfach überhörten und warteten, bis das Schluchzen von selbst aufhörte. Es hieß, das Baby würde auf diese Weise »seine Lungen trainieren«. Man hielt es für eine natürliche und unvermeidliche Atemübung oder für ein Stimmtraining. Wenn Mütter ihrem natürlichen Instinkt folgen und zu ihren Babys gehen wollten, wurden sie strengstens angewiesen, dieser Versuchung zu widerstehen und ihr schreiendes Kind allein zu lassen. Begründet wurde dies folgendermaßen: Wenn das Baby nachts schrie und niemand darauf reagierte, würde es in den darauffolgenden Nächten immer weniger schreien, und so könnten die Eltern ihrem Kind anerziehen, sie in Ruhe zu lassen, wenn sie schlafen wollten.

Dieses Argument war so verführerisch, daß viele Eltern der Empfehlung folgten, auch wenn ihnen das Schreien anfänglich fast das Herz brach und sie sich die Ohren zuhalten mußten. Aber es funktionierte. Das Schreien wurde tatsächlich weniger. Es war allerdings wie das Abrichten eines Pferdes. Der natürliche Hilferuf des Babys wurde im Keime erstickt, weil es kein Gehör fand. Doch im Hinterköpfchen des Kindes grub sich auch der Gedanke ein, daß seine Eltern letzten Endes doch nicht die großen Beschützer und Verteidiger waren, für die es sie instinktiv gehalten hatte. Das Vertrauen in die Eltern war erschüttert. Das Baby war im wahrsten Sinne des Wortes »ver«-zogen.

Da Babys körperlich völlig hilflos und sehr verletzlich sind, brauchen sie während ihres ersten Lebensjahres allumfassende Fürsorge und viel Trost. Sie sind zu jung für strenge Erziehungsmethoden und harte Disziplinarmaßnahmen. Erst sehr viel später, wenn die Kinder anfangen, die Welt zu erforschen und dabei oft unvernünftig vorgehen, ist ein gewisses Maß an Disziplin unerläßlich und durchaus von Nutzen.

Ein Kleinkind, das blindlings auf eine vielbefahrene Straße rennt, würde ohne gewisse Disziplinarmaßnahmen wohl sehr schnell unter die Räder kommen. Aber bei Babys liegt der Fall anders.

Babys, die verhätschelt und liebkost, mit zärtlichen Worten umgarnt und getröstet werden, sind als Erwachsene meist sehr widerstandsfähig, wohingegen die disziplinierten Babys sich im späteren Leben oft zu scheuen, unsicheren Persönlichkeiten entwickeln. Das liegt daran, daß das behütete Baby von Anfang an das Gefühl bekommt, beachtenswert zu sein. Es fühlt sich geliebt und schließt daraus, daß es liebenswert sein muß. Mit dieser inneren Stärke kann es guten Mutes die Welt erobern und seinen Horizont erweitern. Es wächst zu einem extravertierten Kind heran, weil es sich als Baby vollkommen angenommen fühlte und aus dieser Erfahrung Sicherheit schöpfen kann.

Für das überdisziplinierte Baby sieht die Zukunft nicht so rosig aus. Es hat die Erfahrung gemacht, daß das Leben grausam sein kann. In Momenten vollkommener Hilflosigkeit hat ihm niemand eine schützende Hand gereicht, niemand hat es liebevoll in den Arm geschlossen. Für das geliebte Baby steht die Kindheit unter dem Motto: »Wer nicht wagt, gewinnt nicht«; für das disziplinierte Baby lautet das Motto: »Wer nicht wagt, verliert nicht.«

Wenn ein Schulkind ungezogen ist, kann das durchaus an mangelnder Disziplin liegen, aber wenn ein Baby verzogen ist, hat es mit Sicherheit zuviel Disziplin abbekommen.

Sind Babys intelligent?

Genaugenommen nicht, denn korrekt definiert ist Intelligenz die Fähigkeit, Erfahrungen aus der Vergangenheit zu kombinieren und dadurch neue Probleme zu lösen. Doch Babys haben ganz einfach nicht genug Erfahrungen, die sie zu neuen Lösungen befähigen könnten. Ihre Probleme werden größtenteils von ihren Eltern gelöst. Und was die Beschützer nicht übernehmen, muß wohl ungelöst bleiben, denn die Babys wären schon rein körperlich gar nicht in der Lage, eventuell gefundene Lösungen in die Tat umzusetzen.

Man darf aber Intelligenz nicht mit anderen geistigen Fähigkeiten verwechseln. Babys sind vielleicht nicht intelligent, aber wenn sie gesund und wohlbehütet sind, legen sie eine ungeheure Wachsamkeit an den Tag und sind höchst empfänglich für sämtliche Stimuli, die von der Geburt bis zum Ende der Babyzeit in jeder wachen Minute auf sie einstürzen. Sie sind wie ein Schwamm, der die neue Welt mit ihren grundlegenden Eigenschaften und natürlichen Gesetzen in sich aufsaugt.

Im Laufe des ersten Lebensjahres ist das Baby vollauf damit beschäftigt, sich die notwendigen Grundlagen zu verschaffen, um eines Tages ein erwachsenes Mitglied der intelligentesten aller 1 124 000 Lebewesen unseres heutigen Planeten zu werden. Das Menschenbaby verfügt von Geburt an über sehr aktive Sinne und einige lebenswichtige Reflexe, die ihm die liebevolle Fürsorge seiner erwachsenen Beschützer sichern. »Schlauheit« braucht es dazu nicht, auch wenn das in der Vergangenheit oft behauptet wurde. Der Begriff Schlauheit impliziert, daß die Babys in ihren Bettchen liegen und hinterlistige Pläne zur Unterwerfung ihrer Eltern schmieden. Solche Ideen, die in früheren Jahrzehnten weit verbreitet waren, dienten als

164

Entschuldigung für Disziplinarmaßnahmen bei Babys, denen man die »Tyrannei« möglichst früh austreiben wollte. Das führte zu einer menschenunwürdigen Behandlung der Kinder, denn man hatte völlig falsche Vorstellungen davon, was im Kopf eines Babys so vor sich geht.

Die instinktiven Reaktionen eines Menschenbabys – wie das Saugen an der Brust, das Schreien in Notsituationen, das Lächeln und das Lachen als attraktives Signal für die Eltern – sind vollkommen ausreichend, um dem Baby in einer normalen Familie ein sicheres Auskommen zu verschaffen (natürlich nur, wenn den Eltern nicht eingebleut wurde, ausgerechnet bei ihren Babys den *eigenen* Instinkten zuwiderzuhandeln). Eine besonders wichtige Eigenschaft des Menschenbabys ist seine Lernfähigkeit. Da es mit einer Vielzahl gut funktionierender Sinne ausgestattet ist – Hören, Sehen, Schmecken, Fühlen, Riechen, Gleichgewichtssinn und Temperaturregelung –, kann es sofort mit der Erkundung der Außenwelt beginnen und lernen, wie alles funktioniert. Das Gedächtnis wird zu Anfang nur extrem selten benutzt, und daran ändert sich bis zum Ende der Babyzeit auch nicht viel. Man könnte meinen, dann sei jegliches Lernen unmöglich. Wie kann man etwas lernen, wenn man sich nicht daran erinnert? Beim spielerischen Lernprozeß des wißbegierigen Babys ist es anscheinend wichtiger, Eindrücke zu sammeln, als danach zu handeln. Vielleicht wird das Ganze an einem Beispiel deutlicher: Wenn ein Kunde in den Supermarkt geht, riesige Nahrungsmittelvorräte einkauft, diese nach Hause trägt und in den Kühlschrank legt, ist der Kühlschrank gut gefüllt, auch wenn der Kunde sich nicht erinnern kann, was er im einzelnen gekauft hat. So wird auch das Gehirn des lernbegierigen Babys mit Eindrücken vollgestopft, an die es sich vielleicht nicht genau erinnern kann.

Ob sich das Gehirn eines Babys auch ohne ausreichende Stimulation normal entwickeln kann, ist ein umstrittenes Thema. Einige Fachleute glauben, daß sich die Geisteskraft unabhängig von der Menge der Außenreize nach eigenen Gesetzen entwickelt, während andere ein interessantes Umfeld mit sehr vielen sozialen, geistigen und körperlichen Anreizen für unerläßlich halten, wenn ein kluges Köpfchen heranreifen soll. Es ist schwer zu entscheiden, wer recht hat, aber wahrscheinlich liegt die Wahrheit irgendwo in der Mitte. Babys sind unglaublich flexibel. Ein Kind, das nicht stimuliert wird, macht den Zeitverlust in späteren Jahren wieder wett. Unabhängig davon, was mit ihm geschieht, hat es im Erlebensfall generell die Möglichkeit, sich zu einem lebensfähigen Erwachsenen zu entwickeln. Aber wird es auch von Neurosen und sonstigen Unzulänglichkeiten verschont bleiben? Vielleicht wächst es sogar zu einem sehr erfolgreichen Erwachsenen heran, doch wer kann wissen, ob der betreffende Mensch nicht glücklicher und ausgeglichener wäre, wenn er in seiner Babyzeit mehr Liebe und Stimulation erfahren hätte? Das wird wohl immer eines der großen Rätsel der menschlichen Persönlichkeitsbildung bleiben.

Auch wenn wir nicht genau wissen, wovon die Intelligenzentwicklung im Einzelfall abhängt, sagt uns doch allein der gesunde Menschenverstand, daß eine unbeschwerte, aktive Babyzeit die beste Voraussetzung für das Heranreifen aufgeweckter Erwachsener bietet. Es läßt sich nicht beweisen, daß eine langweilige Kindheit der Intelligenz schadet, aber warum sollte man das Risiko eingehen?

Sind Babys Linkshänder oder Rechtshänder?

Erwachsene sind in der überwiegenden Mehrheit Rechtshänder, nur ungefähr jeder zehnte ist Linkshänder. Das gilt für alle Rassen und alle Kulturen auf der ganzen Welt und ist auch schon immer so gewesen – soweit wir das beurteilen können. Schon die Werkzeuge des Steinzeitmenschen deuten darauf hin, daß die rechte Hand bevorzugt wurde.

Aber wie ist es nun bei den Babys? Wann manifestiert sich die Vorliebe für die rechte Hand?

In einem kürzlich erschienenen Bericht des britischen Gesundheitsministeriums heißt es:»Die meisten Kinder zeigen bis zum Alter von drei Jahren keine besondere Vorliebe für die rechte oder linke Hand.« Bei oberflächlicher Betrachtung scheint diese Aussage auch zu stimmen. Einmal streckt das Baby seine linke Hand nach einem Spielzeug aus, und wenige Wochen später greift es dann mit der rechten zu. Es sieht so aus, als hätte das Baby sich noch nicht für eine der beiden Seiten entschieden, denn es agiert mit beiden Händen gleich geschickt. Aber das stimmt nicht ganz. In Wirklichkeit ist die Sache wesentlich komplizierter, aber auch viel interessanter.

Aus einer genaueren Untersuchung geht hervor, daß das Menschenbaby im Laufe der Zeit mehrfach die Seiten wechselt, und zwar in einer ganz bestimmten Reihenfolge:

1) Wenn man einem zwölf Wochen alten Säugling einen Gegenstand hinhält, streckt er beide Arme danach aus. Für gewöhnlich wechseln sich die beiden Seiten ab, zuerst wird die eine Hand aktiver, dann die andere. In diesem Alter zeigen die

Babys wenig oder gar keine Vorliebe für eine bestimmte Seite, und die Armbewegungen führen auch noch nicht zum Kontakt mit dem anvisierten Objekt. Das kontrollierte Armausstrecken und Greifen hat noch nicht begonnen.

2) Mit 16 Wochen strecken die Babys ihre Hand nach einem dargebotenen Objekt aus und können es auch ergreifen. In diesem Alter bevorzugen sie zumeist die *linke* Hand, was aber nichts darüber aussagt, ob sie als Erwachsene Links- oder Rechtshänder werden. Interessanterweise wechseln manche Babys noch während des Tests die Seiten, bleiben dann aber auch bei der »zweiten Wahl«. Man könnte meinen, sie probieren beide Möglichkeiten aus, um festzustellen, welche Seite ihnen mehr zusagt.

3) Mit 20 Wochen wechseln die Babys nicht mehr während des Tests die Seiten. Sie sind jetzt ausgesprochen einseitig orientiert und bevorzugen dabei weiterhin die *linke* Hand.

4) Mit 24 Wochen ist die Einseitigkeit wieder aufgehoben, und das Baby ergreift dargebotene Objekte typischerweise mit beiden Händen.

5) Mit 28 Wochen sind die Babys wieder eher einseitig, doch nun bevorzugen sie die *rechte* Hand. In diesem Alter sind allerdings viele verschiedene Greifmanöver zu beobachten, wobei die rechte Seite eindeutig dominiert. Manchmal wird noch während des Tests die andere Hand ins Spiel gebracht, und es kommt auch zu zweihändigen Aktionen. Das Baby experimentiert noch immer mit beiden Möglichkeiten, legt aber trotz alledem schon eine gewisse Vorliebe für die rechte Seite an den Tag.

6) Mit 32 Wochen greift das Baby wieder mit beiden Händen gleichzeitig zu.

7) Mit 36 Wochen dominiert wieder die Einseitigkeit, wobei diesmal die *linke* Hand bevorzugt wird. Es kommt kaum noch vor, daß während des Tests die Seiten gewechselt werden.

8) Mit 40 Wochen sind die Babys wieder ganz einseitig, und in den meisten Fällen dominiert eindeutig die *rechte* Hand. Mit 44 Wochen ist es noch genauso.

9) Mit 48 Wochen schwenken manche Baby noch einmal auf die *linke* Seite um, aber die rechte Seite behält die Oberhand.

10) Mit 52 Wochen dominiert bei den meisten Babys ganz eindeutig die rechte Hand.

Danach ist die Babyzeit zwar beendet, doch im Laufe der Kindheit kommt es noch mehrmals zu »Unsicherheiten«. Im Alter von 80 Wochen werden die Seiten wieder häufiger gewechselt, und es sind auch wieder viele zweihändige Aktionen zu beobachten. Mit zwei Jahren dominiert dann wieder ganz klar die rechte Hand. Im Alter von zweieinhalb bis dreieinhalb Jahren durchlaufen die Kinder eine letzte zweihändige Phase, bevor sie sich dann mit etwa vier Jahren endgültig für eine Seite entscheiden. Diese Vorliebe wird dann immer ausgeprägter, und mit ungefähr acht Jahren kann man mit Sicherheit sagen, ob ein Kind für den Rest seines Lebens Links- oder Rechtshänder bleiben wird.

Diese detaillierten Untersuchungen beweisen erneut, wie diffizil und faszinierend Menschenbabys sind. Sie sind weit davon entfernt, »keine Vorliebe zu zeigen«, wie uns das Gesundheitsministerium glauben machen will. Die Präferenz für eine Seite pendelt während des ersten Lebensjahres ständig hin und her. Anscheinend probieren die Kinder erst die eine und dann die andere Hand aus, um im Laufe mehrerer Monate festzustellen, welche Seite sich besser für die Untersuchung dargebotener Objekte eignet. Aber woher kommt die anfängliche Vorliebe für die linke Hand, und warum entscheiden sie sich letztendlich für die rechte Seite? Um diese Frage zu beantworten, wollen wir einmal einen Blick auf das Verhalten anderer Primaten werfen.

Bei Tests an Affen und Menschenaffen stellte sich heraus, daß sie eine gewisse Vorliebe für die linke Hand aufweisen. Aus Beobachtungen an freilebenden japanischen Makaken geht hervor, daß zwei von drei Affen, die überhaupt eine Präferenz zeigten, die linke Seite bevorzugten. (40 Prozent zeigten keine besondere Vorliebe.) Wenn Menschenbabys also mit 16 Wochen die linke Hand bevorzugen, erinnert das vielleicht wieder einmal an unsere urzeitliche Verwandtschaft mit den Primaten. Danach setzt sich dann immer mehr die menschliche Vorliebe für die rechte Seite durch und gewinnt mit 28 Wochen im wahrsten Sinne des Wortes die Oberhand. Im Laufe der Monate fühlt sich das Baby dann immer wieder zwischen der urzeitlichen linken Seite der Primaten und der modernen rechten Seite des Menschen hin und her gerissen, bis es sich schließlich nach einigen Jahren in der Mehrzahl der Fälle für die rechte Hand entscheidet.

Da die Präferenz für die rechte Seite evolutionsgeschichtlich gesehen relativ neu ist, haben wir noch nicht die 100-Prozent-Marke erreicht, die eines Tages vielleicht ganz selbstverständlich sein wird. Aus Untersuchungen an steinzeitlichen Äxten geht hervor, daß die menschliche Vorliebe für die rechte Seite zwar auch schon vor 200 000 Jahren einigermaßen ausgeprägt war, jedoch nicht in dem Maße wie heute. Von den Äxten, die eine Präferenz erkennen ließen, waren 65 Prozent offensichtlich von Rechtshändern gefertigt worden. Die größte Studie zur Links- oder Rechtshändigkeit in heutiger Zeit wurde 1953 in den Vereinigten Staaten durchgeführt: Von den 12 159 untersuchten Rekruten waren 91,4 Prozent Rechtshänder. Anscheinend ist also von der Steinzeit bis heute die rechte Hand immer stärker in den Vordergrund getreten, und es besteht kein Grund zu der Annahme, daß diese Entwicklung schon abgeschlossen wäre. Das Hinundherpendeln unserer Babys zwischen der rechten und der linken Seite reflektiert demzufolge den urzeitlichen Kampf zwischen altem Affenverhalten und modernem Menschenverhalten. An ihrer stufenweisen Entwicklung läßt sich der Triumph der neuen über die alte Hand nachvollziehen.

Jetzt wissen wir, was sich aller Wahrscheinlichkeit nach in der Vergangenheit zugetragen hat, aber wir wissen noch nicht, warum. Die meisten Fachleute weichen dieser Frage von vornherein aus, ohne auch nur den Ansatz einer Interpretation zu versuchen. Die Frage, warum die rechte Seite schließlich die Oberhand gewann, bezeichnete Thomas Carlyle vor langer Zeit einmal als schlichtweg »überflüssig, sie tauge höchstens für Ratespiele«. Doch überflüssig ist sie ganz und gar nicht, denn die Vorliebe für eine bestimmte Seite ist ein sehr interessantes Thema. Warum benutzen wir unsere Hände nicht abwechselnd zu 50:50 Prozent? Offensichtlich mußte sich der Mensch mit der Entwicklung zum Werkzeugmacher und Werkzeugbenutzer spezialisieren und einer Hand den Vorrang geben – doch warum entscheiden sich neun von zehn Personen für die rechte Hand? Und wenn es schon so viele sind, warum sind es dann nicht alle?

Die Anatomie des Babys liefert uns einige Hinweise. Das menschliche Nervensystem bevorzugt die rechte Körperseite schon vor der Geburt ein wenig, denn es führen mehr Nervenstränge vom Gehirn aus nach rechts als nach links. Und wenige Stunden nach der Geburt weist die Gehirnhälfte, die für die rechte Körperseite zuständig ist, auch eine höhere elektrische Aktivität auf. Außerdem hat man herausgefunden, daß 60 Prozent der Babys so im Mutterleib liegen, daß ihre rechte Seite der mütterlichen Körperoberfläche näher ist als die linke. Das könnte bedeuten, daß bei diesen Babys die rechte Seite während der Schwangerschaft stärker stimuliert wird und dadurch ein wenig im Vorteil ist. Es wird auch behauptet, daß die zwei Gehirnhälften schon in der 29. Schwangerschaftswoche eine gewisse Asymmetrie aufweisen, wobei die linke Hemisphäre — welche die rechte Körperseite kontrolliert — ausgeprägter ist. Diese Gehirnhälfte soll in einem Teil des linken Schläfenlappens stärker entwickelt sein, und das könnte wiederum dazu beitragen, daß im späteren Leben die rechte Hand bevorzugt wird.

All diese Faktoren deuten darauf hin, daß die rechte Seite etwas bessere Chancen hat, die Führungsrolle zu übernehmen, aber es bleibt immer noch die Frage, warum *rechts* und nicht *links*. Ein linkshändiger Speerwerfer kann genauso gut zielen und seine Waffe genauso kraftvoll durch die Luft schleudern wie ein rechtshändiger Krieger. Warum also bevorzugen neun von zehn Speerwerfern die rechte Hand?

Um darauf eine Antwort zu finden, wollen wir einmal eine andere Asymmetrie im menschlichen Verhalten unter die Lupe nehmen, die für die Bevorzugung der rechten Seite verantwortlich sein könnte. Wie in einem späteren Kapitel beschrieben, wiegen die meisten Mütter ihre Babys im linken Arm und bringen so ganz unbewußt das Ohr ihres Sprößlings in die Nähe ihres Herzschlages — ein Geräusch, das alle Babys sofort tröstet und beruhigt. Dieses typisch mütterliche Verhalten ist unabhängig davon, ob die jeweiligen Frauen Links- oder Rechtshänderinnen sind. Von daher bekommen die meisten Babys immer mütterliche Zuwendung, wenn sie ihren Kopf nach rechts drehen — Milch, Wärme, Trost, Kontakt und Schutz. Die Kopfdrehung nach rechts ist also für die meisten Babys lohnenswerter als die Linksdrehung. Das wiederum scheint einen starken Einfluß auf den sogenannten »tonischen Nakkenreflex« zu haben. Diesen Reflex kann man immer dann beobachten, wenn das Baby auf den Bauch gelegt wird. In der Bauchlage kann das Baby sein Gesicht nicht einfach senkrecht nach unten sinken lassen, denn dann würde es ersticken. Es *muß* den Kopf zur einen oder anderen Seite drehen. Und seine Vorliebe für die Rechtsdrehung, die schon von Geburt an vorhanden ist, macht es sehr viel wahrscheinlicher, daß es den

Nacken nach rechts dreht. Die Rechtsdrehung des Nackens führt in der Bauchlage aber auch immer zu einer leichten Asymmetrie der Gliedmaßen, was auf lange Sicht wiederum zur Folge haben könnte, daß eine bestimmte Hand bevorzugt wird. Es könnte also sehr gut sein, daß diese durch das mütterliche Wiegen im Arm bedingte kindliche Vorliebe für eine bestimmte Nackendrehung letztendlich dazu führt, daß der Mensch sich zum Rechtshänder entwickelt.

Warum gibt es dann aber immer noch so viele Linkshänder? Dieses Spezies Mensch fällt anscheinend in den primitiveren Primatenzustand zurück und verpaßt dann in ihrer frühkindlichen Entwicklung aus irgendwelchen Gründen den Anschluß an die »neuen« menschlichen Verhaltensweisen. Vielleicht wurden sie nicht oft genug im linken Arm gehalten, was ja aus vielerlei Gründen passieren kann: Eine schwere Geburt kann die Gesundheit der Mutter angreifen; Zeiten sozialen Unfriedens wie Krieg, Depression oder Revolten können die Mutter stark unter Druck setzen; eine Zwillingsgeburt macht es schwierig oder unmöglich, beiden Kindern das übliche Maß an linksseitigem Wiegen angedeihen zu lassen. Sollten sich unter diesen Umständen mehr Linkshänder entwickeln, wäre das ein Beweis dafür, daß die Präferenz für eine bestimmte Hand durch die frühkindliche Wiegeerfahrung bedingt ist. Und genau das wurde auch festgestellt. Es gibt sehr viel mehr Linkshänder, wenn die Geburt schwierig war, in unruhige Zeiten fiel oder Zwillinge das Licht der Welt erblickten.

Diese Erklärung erscheint wesentlich sinnvoller als die übliche Interpretation, nach der Linkshänder gesellschaftliche Aufrührer sind: Menschen, die gegen den Strom schwimmen und partout anders sein wollen. Dieses Argument wird immer wieder vorgebracht, doch durch sorgfältige Beobachtungen an Babys wird sehr schnell klar, daß die Frage der Links- oder Rechtshändigkeit schon längst vor jeder denkbaren Art von »sozialer Revolution« entschieden wird. Wir haben dieses Verhaltensmuster schon verinnerlicht, bevor wir uns dessen überhaupt bewußt werden. In autoritären Gesellschaften, wo die Linkshändigkeit aus irgendwelchen religiösen oder abergläubischen Gründen rigoros unterdrückt wird, sind es vielleicht wirklich nur die absolut rebellisch veranlagten Kinder, die den Aufstand gegen die Tyrannei der Rechtshänder wagen, doch in vielen anderen Gesellschaften, in denen kein solcher Druck herrscht und die Kinder sich frei für eine der beiden Hände entscheiden können, bilden die Linkshänder eine vollkommen unrebellische Minderheit, die durch ihr rechtshändig orientiertes Umfeld eher ein bißchen gehandikapt ist. In diesem Fall ist die Revoluzzer-Theorie also unzutreffend.

Wie wichtig ist die Mutter für das Baby?

Die Frage mag lächerlich klingen, aber in letzter Zeit sind immer wieder Stimmen laut geworden, die den Mutterinstinkt in Abrede stellen. Einige Feministinnen, die jeder anthropologischen Erkenntnis zum Trotz auf ihren Idealen beharren, sind der Ansicht, die Bildung menschlicher »Familieneinheiten« sei ein übler Trick der Männer, um gutgläubige Frauen an die Kandare zu nehmen. Ihrer Meinung nach ist die Familie eine ganz neumodische Erfindung, die erst seit 10 000 Jahren existiert und sich aus der Agrarrevolution heraus entwickelte. Damals sollen die männlichen Landnehmer sich angewöhnt haben, alles Weibliche, egal ob Mensch oder Tier, als nützliche Gebärmaschine zu betrachten.

Nach dieser Theorie der Nicht-Mütterlichkeit sind Frauen nicht von Natur aus kinderlieb und besitzen auch keinen Mutterinstinkt. Das wurde ihnen angeblich erst von der patriarchalischen Gesellschaft aufoktroyiert. Nach Meinung der Feministinnen sollten die elterlichen Pflichten anders verteilt werden, weil es für unsere Spezies natürlicher sei, daß ganze Gruppen von Einzelpersonen sich um die Babys kümmern. Die Babys könnten alle gemeinsam von berufsmäßigen Erziehern großgezogen werden, und die Mütter könnten unbeschwert auf den verschlungenen Wegen der Macht wandeln.

Offensichtlich fühlen sich einige Frauen zu dieser neuen Doktrin hingezogen. Doch ist die Theorie auch wirklich biologisch abgesichert? Braucht das Kind seine Mutter, wie die Traditionalisten behaupten, oder tut es auch irgendeine andere Pflegeperson? Es gibt nur zwei Möglichkeiten, das herauszufinden. Die eine ist das direkte Beobachten von Müttern mit ihren Babys, und die andere ist eine Untersuchung über den Werdegang von Babys, die nicht in einer Familie, sondern in großen Gemeinschaften aufgezogen wurden.

Aus der Direktbeobachtung läßt sich erkennen, daß die Mutter-Kind-Beziehung ganz allmählich und auf vollkommen natürliche Weise entsteht. Während der ersten drei Lebensmonate ist es den Babys noch nicht so wichtig, wer sich um sie kümmert, obwohl sie ihre »persönliche Betreuerin« schon recht bald an Geruch, Aussehen und Stimme erkennen können. Im Alter von ungefähr vier Monaten werden sie dann plötzlich sehr wählerisch. Sie schreien beim Anblick fremder Personen und wollen immer nur bei ihren Müttern sein (bzw. bei dem Menschen, der sich von Anfang an um sie gekümmert hat). Gleichzeitig reagieren auch die Mütter immer stärker auf ihre eigenen Babys und differenzieren sie von den anderen. Mit der Zeit entsteht eine solch enge Bindung, daß eine zwangsweise Trennung für beide Seiten zur Qual wird. Die starken Emotionen, die bei diesem »Bonding-Prozeß« entstehen, übersteigen in ihrer Intensität oft jede Ratio und erinnern den Biologen sofort an das Verhalten anderer Tiergattungen, die ebenfalls »Familieneinheiten« bilden. Die Idee, daß dem Baby die Bindung an eine bestimmte Mutterfigur nur anerzogen wird oder daß die Mutter sich nur aus Schuldgefühl und sozialer Verantwortung heraus um ihr Kind kümmert, ist für jeden Menschen, der diese Gefühlstiefe einmal miterlebt hat, vollkommen abwegig.

Wie kommt es dann, fragen die Feministinnen, daß so viele Kinder mißhandelt, ausgesetzt oder sonstwie unmütterlich behandelt werden? Scheidung und Untreue werden als Argumente ins Feld geführt, um zu beweisen, daß die Familieneinheit mehr schlecht als recht von *außerhalb* zusammengehalten wird und keineswegs auf starken inneren Bindungen beruht, die in unserem uralten genetischen Programm verankert sein könnten. Bei dieser Art von Kritik wird eindeutig außer acht gelassen, daß auf unserem Planeten viel zu viele Menschen leben. Auch bei anderen Tierarten bricht das Familien-Fortpflanzungs-System bei unverhältnismäßig starker Vermehrung zusammen. Selbst die treueste Gattung landet bei zunehmender Übervölkerung irgendwann im Familienchaos. Wo einst der Nachwuchs gefüttert, gesäubert, gewärmt und geschützt wurde, wird er nun getötet, aufgefressen, mißhandelt, verlassen und dem Hungertod preisgegeben. Paarbindungen, die einst von Treue und Fürsorge geprägt waren, brechen plötzlich auseinander. Da können wir auch von der menschlichen Familieneinheit keine Wunder erwarten.

Letztendlich müssen sich die zwei verschiedenen Theorien aber an der Realität beweisen, und deshalb wollen wir uns einmal anschauen, wie sich die jeweiligen Babys als Erwachsene verhalten. Sind die »Familienbabys« später erfolgreicher als die »Gruppenbabys«? Werden Babys, deren Kindheit von einer Mutterfigur (bzw. einer Bezugsperson) dominiert wird, zu vollwertigen, zufriedenen Mitgliedern der Gesellschaft, oder driften sie in eine der sozialen Randgruppen ab? Eine gute Möglichkeit, dies festzustellen, bietet sich in unseren modernen Gefängnissen. Dort haben wir es ja nun unbestreitbar mit einer Sorte Mensch zu tun, die sich stark antisozial verhält und zum Versagen neigt.

Was läßt sich aus einer Untersuchung an Gefängnisinsassen über Kindererziehung ablesen?

Vor kurzem wurde in verschiedenen europäischen Gefängnissen eine Studie zu diesem Thema durchgeführt, und dabei stellte sich heraus, daß dort ein wesentlich höherer Prozentsatz als in der Normalbevölkerung eine entbehrungsreiche Kindheit hinter sich hatte oder sogar mißbraucht wurde. 1977 lag die Zahl in einem Gefängnis beispielsweise bei 34 Prozent. Auf die Frage nach »Bezugspersonen« antworteten 95 Prozent der Insassen, sie seien während ihrer Babyzeit *nicht* von einer zentralen Mutterfigur geliebt worden. Als Kinder wurden sie aus verschiedenen Gründen von verwirrend vielen erwachsenen Pflegepersonen versorgt. Bei 50 Prozent der Befragten hatte die »Mutterfigur« bis zum Ende der Kindheit mehr als fünfmal gewechselt.

Damit wären die modernen Theorien von der Mütterlichkeit als moderner Kulturfalle wohl eindeutig widerlegt. Die Mutter ist ohne jeden Zweifel von grundlegender Bedeutung für das heranwachsende Kind. Sobald das Baby anfängt, Individuen als solche zu erkennen, braucht es ganz dringend eine dominante Bezugsperson, die ihm Fürsorge und Schutz gewährt und immer da ist, wenn es sich in dieser rätselhaften neuen Welt unsicher und allein fühlt. Da es von Natur aus auf diese Abhängigkeit programmiert ist, gerät das labile Gleichgewicht seines heranwachsenden Geistes ohne eine feste Bezugsperson sehr leicht ins Wanken. Natürlich sterben die Kinder nicht, wenn sie aus irgendwelchen Gründen ohne spezielle Mutterfigur aufwachsen müssen. Sie versuchen mit aller Kraft, sich durchzubeißen, doch dadurch sind die späteren Konflikte schon vorprogrammiert. Körperlich entwickeln sie sich ganz normal, nur seelisch tragen sie viele blaue Flecken davon. Vielleicht können sie als Erwachsene keine dauerhaften Bindungen eingehen. Oder sie haben kein Vertrauen zu anderen Menschen. Manchmal mangelt es ihnen auch an Schuldbewußtsein und sie werden im Umgang mit anderen Erwachsenen grob oder sogar grausam. Aber natürlich muß es nicht immer so kommen. Viele schaffen es trotzdem, ihr Leben zu meistern, doch Babys, die in einer typischen Familie mit all ihrer zärtlichen Vertrautheit aufwachsen, werden es immer leichter haben.

Warum werden Babys fest von oben bis unten gewickelt?

Während der Schwangerschaft ist das Baby ständig vom Körper seiner Mutter umhüllt, und das gibt ihm ein Gefühl von Schutz und Sicherheit. Bei der Geburt wird es plötzlich aus dieser festen Umarmung herausgerissen, und wenn seine Haut zum erstenmal mit der Luft der Außenwelt in Berührung kommt, fühlt es sich schutzlos und gerät in Panik. Es beruhigt sich erst wieder, wenn es in den Armen seiner Mutter liegt und ihren warmen, weichen Körper unter sich spürt. Aber die Mutter kann natürlich nicht immer in dieser Position verharren. Wäre sie ein Affenweibchen, hätte sie damit keine Probleme, denn ihr Neugeborenes könnte sich einfach an ihrem Fell festklammern und dort so lange hängen bleiben, wie es wollte. Die enge Umarmung würde ohne Unterbrechung fortgesetzt, und das Kind wäre auch in seiner befremdlich neuen Umgebung immer ruhig und entspannt. Aber leider kann das Menschenbaby sich nicht so festklammern wie ein Affenjunges. Seine Arme und Beine sind nicht stark genug, und selbst wenn sie es wären, hätte die Mutter ja immer noch kein Fell, an dem ihr Kind sich festhalten könnte. Der Körper einer Menschenmutter ist weich und glatt, und in den Genuß einer festen Umarmung kommt das Baby nur, wenn die gesamte Initiative von der Mutter ausgeht. Doch auch das ist natürlich zeitlich begrenzt, und irgendwann braucht das Baby dann eine andere Art von Umhüllung, um weiterhin ruhig zu bleiben. Eine brauchbare Alternative sind warme, weiche Kleider, die möglichst eng anliegen sollten, denn dann hat das Baby wieder das Gefühl, umarmt zu werden; es wird sich beruhigen und einschlafen.

Aus diesem Grunde werden Babys nun schon seit Tausenden von Jahren gleich nach der Geburt gewickelt und in enganliegende Kleider gesteckt. Da in letzter Zeit aber des öfteren Einwände dagegen laut wurden, wollte man anhand von Tests feststellen, ob diese Methode tatsächlich vorteilhaft für die Babys ist. Unter Einsatz modernster Technologie fanden die Ärzte heraus, daß behaglich in warme, weiche Decken oder Tücher gewickelte Babys einen langsameren Herzschlag aufweisen und auch langsamer und regelmäßiger atmen. Außerdem sind sie nicht so nervös, schreien weniger und schlafen mehr. Ungewickelte Babys zappeln lebhaft herum. Sie sind verspannter, unruhiger und viel nervöser. Warum kam man unter solchen Voraussetzungen trotzdem vom Wickeln ab? Zum besseren Verständnis wollen wir die Entstehungsgeschichte des Wickelns ein wenig beleuchten.

Darstellungen von fest gewickelten Babys sind uns bereits aus der frühen Bronzezeit vor mehr als viertausend Jahren überliefert. Auch die prähistorischen Figurinen zeigen Mütter mit Säuglingen im Arm, die auf flache Rückenbretter gebunden sind. Diese Tragebretter dienten als Wiegen, die die Mütter überallhin mitnehmen konnten. Wenn sie auf Nahrungssuche gingen oder sonstige Arbeiten zu erledigen hatten, konnten sie ihre Kinder nicht allein zurücklassen und mußten sie deshalb irgendwie transportieren. So kamen die Tragebretter in Gebrauch, denn in warme Kleider verpackt und festgebunden blieben die Babys schön ruhig und befanden sich außerdem immer in Sicherheit. Das Brett konnte am Rücken der Mutter befestigt werden, wenn sie fortgehen mußte, und ließ sich draußen auch ebensogut an Bäume hängen. Wenn die Mutter nach getaner Arbeit nach Hause zurückkehrte, konnte sie das Brett auch dort irgendwo an die Wand oder an die Decke hängen. Auf diese Weise waren die Kinder vor unliebsamen Überraschungen am Boden geschützt. In ihrer engen Umhüllung blieben sie ruhig und schliefen die meiste Zeit, beinahe so, als wären sie wieder in den Mutterleib zurückgekehrt. In Anbetracht der damaligen primitiven Verhältnisse war dies schon eine recht effiziente Art der Säuglingsfürsorge.

Das feste Wickeln war jahrhundertelang in vielen Kulturen verbreitet. In der antiken Welt war es gang und gäbe. Die alten Römer und Griechen wurden allesamt so gewickelt, und auch die meisten Europäer wurden noch bis ins achtzehnte Jahrhundert hinein fest verpackt. Doch dann setzte die Rebellion ein. Das Einwickeln galt plötzlich als künstlich und unnatürlich und fiel der neuen »Bewegungsfreiheit« zum Opfer. Man wollte zurück zur Natur, und deshalb mußten die engen Hüllen fallen. Eine Idee, die sofort viele Anhänger fand und sich auch heute noch großer Beliebtheit erfreut. Das Strampeln und Zappeln der ungewickelten Babys betrachtete man dabei liebevoll als kreative Selbsterfahrung und gymnastische Übung. Mit Angst oder Streß schien das alles nichts zu tun zu haben.

Und so dumm war die Idee von der neuen Bewegungsfreiheit für Babys auch gar nicht. Die alten Methoden waren einfach zu weit gegangen. Das können wir heute mit Sicherheit sagen, denn das eher brutale Festbinden der Kinder nach alter Manier war noch bis vor kurzem in einigen entlegenen Gebieten Asiens, Zentralamerikas, Rußlands, Osteuropas und Skandinaviens gebräuchlich. In manchen Gegenden wird es sogar heute noch praktiziert. Bei Untersuchungen an Stammesgesellschaften wurde festgestellt, daß die Babys oft *so* fest gewickelt wurden, daß manche von ihnen körperliche Schäden davontrugen. Man glaubte, es sei »gut für den Rücken« der Neugeborenen, wenn man sie so fest wie möglich gegen das Tragebrett drückte. Hinzu kam die Befürchtung, die Kinder könnten ihre scheinbar so weichen und ungeformten Knochen beschädigen, wenn sie Arme und Beine frei bewegen dürften. So wurde manchmal durch übertriebene »Vorsicht« genau der Schaden angerichtet, den man eigentlich hatte verhindern wollen. Manche Babys wurden so gründlich plattgedrückt, daß sie Hüftluxationen bekamen. Da ist es nicht weiter verwunderlich, daß das gute alte Wickeln ins Kreuzfeuer der Kritik geriet.

Doch leider schlägt das Pendel bei gesellschaftlichen Wandlungsprozessen sehr oft von einem Extrem ins andere um. Das war auch bei der Wickeltechnik der Fall, denn die »Lehre von der Bewegungsfreiheit« räumte mit den Nachteilen des festen Wickelns auch gleich die Vorteile aus. Aber das moderne Baby braucht den goldenen Mittelweg. Wenn man es nicht zu eng, sondern eher locker wickelt, kann man ihm das Gefühl von Geborgenheit vermitteln, ohne ihm physischen Schaden zuzufügen. Das harte Tragebrett von früher steht natürlich nicht mehr zur Diskussion. Es reicht vollkommen aus, das Baby in eine Decke oder ein Tuch gehüllt auf ein weiches Bett zu legen. Damit ist es fest genug eingewickelt, um entspannt einzuschlafen, kann sich aber trotzdem noch bloßstrampeln, wenn es sich ein bißchen bewegen will.

Sollten die Anhänger der absoluten Bewegungsfreiheit der Meinung sein, auch diese lockere Form des Wickelns behindere das Baby noch in seiner natürlichen Entwicklung, so müßten sie das erst einmal beweisen. Das dürfte ihnen allerdings sehr schwer fallen, denn die Tatsachen sprechen eindeutig gegen sie. Einige Forscher fuhren in zwei der Länder, in denen das feste Wickeln heute noch üblich ist – Rußland und Irak –, und untersuchten dort die Babys, die nach altem Brauch auf Tragebretter gebunden wurden. In den westlichen Ländern werden die modernen, halbfest gewickelten Babys normalerweise nur während der ersten Lebenswochen fest eingepackt. In Rußland und im Irak hingegen verpackt man die Kinder ein ganzes Jahr lang in feste Hüllen – praktisch die gesamte Babyzeit hindurch. Die Forscher waren dabei, als diese Kinder dann nach einem Jahr von ihren Hüllen befreit wurden. Zu ihrer großen Überraschung mußten sie feststellen, daß diese vermeintlich zurückgebliebenen Kinder *innerhalb von Stunden* in der Lage waren, mit den Babys gleichzuziehen, die ihre ersten Lebensmonate in Freiheit verbracht hatten. Daraus läßt sich nur der Schluß ziehen, daß das menschliche Nervensystem unbeirrbar in seiner Entwicklung voranschreitet und auf körperliche Beeinträchtigungen durch etwaige Tragebretter keine Rücksicht nimmt. Bewegung und Gymnastik ist für die kindlichen Gliedmaßen nicht so wichtig, wie man vielleicht annehmen könnte. Das Baby ist eine unglaublich effiziente, vorprogrammierte Wachstumsmaschine, und selbst ausgedehnte Phasen der Immobilität schienen seine Weiterentwicklung weder stoppen noch verzögern zu können. Wenn man bedenkt, daß herausragende Persönlichkeiten wie Alexander der Große, Julius Cäsar und Jesus Christus als Babys wahrscheinlich alle fest gewickelt wurden, ist diese Feststellung gar nicht so überraschend.

Trotz all dieser Erkenntnisse bietet ein Zurückgreifen auf die alte Technik des festen Wickelns keinerlei Vorteile. Bei unsachgemäßer Handhabung ist es zweifellos gefährlich und kann in manchen Fällen zu Knochenschäden führen. Ein solches Risiko braucht man heute nicht mehr einzugehen. Es ist nicht mehr erforderlich, Kinder bewegungslos herumtransportieren zu können, und außerdem wissen wir mittlerweile, daß lockeres Wickeln ebenso beruhigend wirkt wie festes Anbinden. Damit wäre der goldene Mittelweg gefunden. Die nervösen Babys können sich endlich wieder beruhigen, und die energischen Babys können sich bloßstrampeln, wenn ihnen danach zumute ist.

Warum haben Babys Wiegebewegungen so gern?

Jede Mutter weiß, daß man ein Baby mit wiegenden Bewegungen beruhigen kann. So lassen sich kleine Schreihälse schnell wieder besänftigen, und entspannte Kinder kann man auf diese Weise auch zum Schlafen bringen. Die Wirkung der rhythmischen Bewegungen scheint darauf zu beruhen, daß das Baby sich an die paradiesischen Zeiten im Mutterleib erinnert fühlt. Angeblich soll das Wiegen die Gehbewegungen der Mutter nachahmen – aber ganz so einfach ist es nicht.

Vom Bewegungsablauf her mag durchaus ein Zusammenhang zwischen sanftem Schaukeln und mütterlichem Gehen bestehen, aber die ideale Schaukelgeschwindigkeit entspricht nicht der normalen Schrittgeschwindigkeit. Bei eingehenden Untersuchungen wurde festgestellt, daß das Wiegen am wirksamsten ist, wenn pro Minute 60 bis 70 Bewegungen mit einer maximalen Reichweite von ungefähr 8 cm ausgeführt werden. Dabei ist die Vorwärts-Rückwärts-Bewegung empfehlenswerter als das seitliche Schaukeln. Der größte Beruhigungseffekt wird erzielt, wenn der sanfte Wiegerhythmus sich ständig wiederholt und auch die Geschwindigkeit gleich bleibt. All diese Dinge erinnern das Baby sicherlich an bewegte Zeiten im Mutterleib, doch bei der geringeren Geschwindigkeit hinkt der Vergleich mit den Gehbewegungen. Die durchschnittliche Geschwindigkeit beim Gehen liegt nämlich bei mehr als hundert Schritten pro Minute, und deshalb müssen auch noch andere Faktoren eine Rolle spielen. Des Rätsels Lösung scheint der menschliche Herzschlag zu sein, denn der beträgt ungefähr 72 Schläge in der Minute und kommt damit der Wiegegeschwindigkeit schon sehr viel näher.

Anscheinend spürt der Fötus im Mutterleib also die Gehbewegung und hört gleichzeitig den mütterlichen Herzschlag. Folglich hat auch das Wiegen den größten Beruhigungseffekt, wenn man diese zwei Empfindungen miteinander kombiniert. Dieser Doppeleffekt ist vielleicht auch darauf zurückzuführen, daß das mütterliche Herz andauernd schlägt, während das Gehen nur zeitweise erfolgt und in der Geschwindigkeit auch stark variieren kann, wenn die Mutter beispielsweise läuft oder gemächlich spazierengeht. Der Rhythmus des Herzschlags hat sich also tiefer ins Gedächtnis des Babys eingegraben als die Gehgeschwindigkeit. Bezeichnenderweise verlangsamen die Mütter ihren Schritt auch ganz beträchtlich, wenn sie beim Wiegen ihres Babys auf und ab gehen. Das flotte Tempo von über 100 Schritten pro Minute wird auf etwa 60 bis 70 Schritte verringert. Dabei handeln die Mütter natürlich vollkommen unbewußt; sie fühlen nur, daß es richtig ist.

Manche Babys fangen mit ungefähr neun Monaten an, sich selbst zu schaukeln. Sie wiegen ihren Körper im Sitzen immer wieder hin und her, und das über längere Zeiträume hinweg. Dadurch manifestiert sich ein starkes Trostbedürfnis, und für die Eltern oder Betreuer sollte das Selbstschaukeln immer ein Hinweis darauf sein, daß diese Kinder nicht genug Zuwendung bekommen. Sie brauchen sehr viel mehr liebevollen Körperkontakt als bisher. Und das Selbstschaukeln sollte immer ernst genommen werden, weil es darauf hindeutet, daß irgend etwas im argen liegt.

Wie transportiert man Babys?

Der Transport von Menschenbabys stellt seit jeher ein besonderes Problem dar. Heutzutage sind die Frauen zwar alle bekleidet, aber die Babys sind nicht stark genug, um sich mit Armen und Beinen festzuklammern, wenn ihre Mütter gehen, laufen oder arbeiten. Aus diesem Grunde wurden im Laufe der Jahrhunderte immer neue Tragevorrichtungen erfunden.

Auf kurzen Strecken können die Eltern ihr Baby schon einmal auf dem Arm tragen, aber dabei erlahmen die Gliedmaßen ziemlich schnell, und dann wird es unangenehm. Alternativ dazu kann man das Baby auf der Hüfte tragen, denn dann hat man wenigstens noch eine Hand frei. Wollen die Eltern aber beide Arme frei bewegen können, dann brauchen sie irgendeine Art von Trageschlinge.

Die einfachste Form ist das Tragetuch, in dem das Baby auf der Hüfte seiner Mutter sitzt und das Tuch über der gegenüberliegenden Schulter zusammengeknotet wird. Darüber hinaus ist es schon seit Kleopatras Zeiten üblich, die Kinder in einem Tuch vor dem Bauch zu tragen, wobei in diesem Fall der Knoten direkt am Hals der Mutter sitzt. In einigen Stammesgesellschaften werden die Babys seitlich mit einem breiten Gürtel befestigt, wenn die Mütter auf Nahrungssuche gehen müssen oder das Essen zubereiten. Wieder andere binden sich das Baby auf den Rücken, wobei ein umfunktionierter Mantel oder ein Hemd als Halterung dient und die Schlinge vor der Brust zusammengebunden wird.

Das Tragebrett, auf dem das Baby festgebunden wird, stellt schon eine fortgeschrittenere Technik dar. Die Mutter kann dieses Brett wie einen Rucksack aufsetzen und die dazugehörigen Halteriemen an Taille und Schultern befestigen.

Doch all diese Methoden gerieten ins Hintertreffen, als Mr. Charles Burton 1848 in New York den Kinderwagen erfand. Dieses Baby-Vehikel auf Rädern konnte sich allerdings nicht von heute auf morgen durchsetzen. Die eilig auf geschäftigen Straßen hin und her eilenden Fußgänger waren auf ein derartiges Gefährt nicht vorbereitet. Zusammenstöße waren an der Tagesordnung, und das neumodische Hindernis sorgte überall für Ärger. Doch Burton gab nicht auf. Er kehrte New York den Rücken und ging nach London. Dort änderte sich sein Schicksal schlagartig, als Königin Viktoria ihn mit einer Bestellung beehrte. Plötzlich war der Kinderwagen salonfähig, die Mütter stürmten die Geschäfte, und Burtons Kinderwagenfabrik konnte der Nachfrage kaum Herr werden. Der »Perambulator« hatte seinen Siegeszug angetreten. 1865 war das Jahr der Kinderwagenwitze in den Zeitschriften, und ein Journalist schilderte die eindrucksvolle, neue Art des Babytransports recht anschaulich mit folgenden Worten: »In ihrer neumodischen Kutsche können die Kinder sich jetzt wie Philosophen zurücklehnen und mit besorgter Miene und zarten Gesichtern das geschäftige Treiben um sich herum beobachten.«

Im Laufe der Jahrzehnte wurde der Kinderwagen dann immer stromlinienförmiger und raffinierter und verwandelte sich schließlich in den modernen Baby-Buggy. Diese Erfindung aus dem Jahre 1965 ist leichter und besser zu transportieren als ein herkömmlicher Kinderwagen und außerdem auch einfacher zu handhaben, weil man ihn auf Reisen oder beim Stadtbummel zusammenklappen und wegpacken kann.

Der neueste Trend ist eine moderne Version der guten alten Trageschlinge, bei der sich die frei beweglichen Eltern ihre Kinder entweder vor die Brust oder auf den Rücken binden. Für sportlichere Mütter und Väter ist diese uralte Form des Babytransports sogar noch zweckmäßiger.

Wann sollte man mit der Sauberkeitserziehung beginnen?

Darauf gibt es nur eine ganz einfache Antwort: Bei Babys ist jede Art von Sauberkeitserziehung sinnlos, wobei ich daran erinnern möchte, daß der Begriff Baby bei mir nur für das erste Lebensjahr gilt. In dieser Zeit ist ein Menschenkind ganz sicher noch nicht in der Lage, seine Darm- oder Blasenentleerung willentlich zu kontrollieren. In den ersten zwölf Monaten verrichten die Babys ihre großen und kleinen Geschäfte ganz automatisch, wobei der Reflex immer dann ausgelöst wird, wenn in Blase oder Darm ein gewisser Druck erreicht wird. Selbst wenn die Eltern sich mit dem Töpfchentraining allergrößte Mühe geben, besteht in der Babyzeit keinerlei Hoffnung auf eine tatsächliche Kontrolle der Schließmuskeln.

Trotz alledem versuchen viele Mütter immer wieder, eine gewisse Disziplin oder Regelmäßigkeit in die Geschäfte ihrer Kinder zu bringen. Besessen vom Hygienewahn des zwanzigsten Jahrhunderts beginnen sie viel zu früh mit einer Art Sauberkeitsdressur. Eine Studie in Großbritannien führte zu dem überraschenden Ergebnis, daß in einer Stadt nicht weniger als 20 Prozent der Mütter versucht hatten, ihre Sprößlinge schon in den ersten Lebenswochen auf Sauberkeit zu drillen. Vor Beendigung der Babyzeit hatten bereits 80 Prozent der Mütter mit dem Dressurprogramm begonnen. Ganz anders in den USA: Dort hatte kaum eine Mutter vor Ablauf des ersten Lebensjahres mit der Sauberkeitserziehung begonnen.

Wie ergeht es nun den Babys bei solch verfrühten Trainingsprogrammen? Manche Mütter nehmen gewisse Erfolge für sich in Anspruch — doch wie kann das möglich sein, wenn

Babys rein biologisch noch gar nicht in der Lage sind, ihre Ausscheidungsorgane zu kontrollieren? Das Geheimnis liegt im Abpassen des richtigen Zeitpunktes, was für Außenstehende tatsächlich wie ein Trainingserfolg aussehen mag. Man kann davon ausgehen, daß Babys ihre großen und kleinen Geschäfte vorzugsweise nach den Mahlzeiten verrichten. Das ist ganz logisch, und deshalb setzen manche Mütter ihre Babys regelmäßig nach den Mahlzeiten auf den Topf. Mit ein bißchen Glück haben sie dann tatsächlich den richtigen Zeitpunkt erwischt und brauchen sich nicht mit einer vollen Windel abzuplagen. Aber sie gehen völlig fehl in der Annahme, daß ihr Baby willentlich mit ihnen kooperieren würde. Es tut lediglich, was es sowieso getan hätte, mit oder ohne Töpfchen, und selbst die Tatsache, daß es seiner Mutter offensichtlich große Freude bereitet, kann es nicht dazu veranlassen, seine Körperfunktionen besser zu beherrschen oder auf den Zeitplan seiner Mutter abzustimmen.

Solcherlei verfrühte »Erfolge« sind zumeist gegen Ende der Babyzeit wieder hinfällig, weil das Kind dann nämlich tatsächlich anfängt, seine Darm- und Blasenentleerung zu kontrollieren. Die Reaktion erfolgt jetzt nicht mehr automatisch nach jeder Mahlzeit, und die Mütter kommen plötzlich völlig aus dem Konzept. Doch es besteht keinerlei Grund zur Aufregung, denn von nun an beginnt die wirkliche Kontrolle. Diese Phase zieht sich für gewöhnlich über mehrere Monate hin. Die bewußte Kontrolle der Schließmuskeln kann schon mit zwölf bis fünfzehn Monaten erreicht sein, doch meist dauert es bis zum achtzehnten Lebensmonat, und viele Kinder brauchen noch wesentlich länger.

Aus einer britischen Studie geht hervor, daß knapp über die Hälfte aller Kinder (54 Prozent) im zweiten Lebensjahr bereits aufs Töpfchen geht. Im dritten Lebensjahr machen dann bereits 93 Prozent ihr Geschäft nicht mehr in die Windel. Diese Werte beziehen sich allerdings nur auf die Darmentleerung. Die Kontrolle über die Blasenentleerung erlangen die Kinder erst ein wenig später, zuerst nur am Tage und dann auch in der Nacht.

Diese Angaben beziehen sich alle auf die Zeit nach dem ersten Lebensjahr, doch eines muß hier noch einmal ganz deutlich gesagt werden: Der menschliche Reifeprozeß verläuft nach einem ziemlich festgelegten Muster. Ein neuer Entwicklungsschritt kann immer erst erfolgen, wenn das einzelne Baby wirklich reif dafür ist, nicht vorher. Die Eltern können diesen Prozeß weder durch Eifer noch durch Ungeduld beschleunigen. Um herauszufinden, ob das frühe Töpfchentraining während der Babyzeit irgendwelche Auswirkungen auf das Sauberwerden hat, untersuchte man Kinder jenseits des Babyalters, die ihre Körperfunktionen schon ganz gut unter Kontrolle hatten. Es war nicht der geringste Unterschied festzustellen. Dressurakte im zarten Babyalter können die Sauberkeitserziehung weder beschleunigen noch verzögern. Der Mensch braucht ganz einfach seine Zeit, um diese wichtige Fähigkeit zu erlernen, und daran können auch die ehrgeizigsten Eltern nichts ändern.

Wird die frühzeitige Sauberkeitsdressur allerdings zu streng oder hektisch betrieben, so kann das im späteren Leben zu Schwierigkeiten führen. Es können tiefsitzende Neurosen im Urogenital- und Analbereich entstehen, die im Laufe der Kindheit oder auch erst im Erwachsenenalter durchbrechen. Am besten sind die Eltern beraten, wenn sie die ganze Sauberkeitserziehung möglichst locker angehen. Vom biologischen Standpunkt her gesehen könnte man sogar empfehlen, das Baby »ganz von allein sauber werden zu lassen«. Im Alter von ungefähr 18 Monaten wird das Kind anfangen zu begreifen, daß es sich beschmutzt hat, und die anderen auch darauf hinweisen. Dann ist es für die Eltern ein leichtes, dem Kind bei der Lösung seines Problems behilflich zu sein, und das Kind wird sie jetzt auch verstehen und bereitwillig mitarbeiten. Die Eltern sollen mit anderen Worten nicht versuchen, das Kind zu führen, sondern sich von dem Kind führen lassen. Auf diese Weise wird das Kind die Sauberkeitserziehung als einen ganz natürlichen Entwicklungsschritt erleben und nicht als Riesendrama. Leider können aber viele moderne Eltern der Versuchung nicht widerstehen, ihre Babys frühzeitig auf Sauberkeit zu dressieren. Das gilt insbesondere für Stadtbewohner, denn auf dem Land hat man meist ein natürlicheres Verhältnis zu Ausscheidungsprodukten.

Während der Babyzeit verhält es sich mit den Exkrementen folgendermaßen: Das Baby beginnt bereits im Mutterleib zu urinieren. Eine Darmentleerung findet beim Fötus allerdings noch nicht statt. Den ersten Stuhlgang hat das Baby kurz nach der Geburt. Dabei geht das sogenannte Mekonium oder Kindspech ab, das sich in Farbe und Aussehen von späteren Fäkalien unterscheidet. Mekonium bedeutet wörtlich »wie Opiumsaft« und bezieht sich auf die seltsam dunkle grünschwarze Farbe. Wenn dann die Milchfütterung beginnt, ist der Stuhl weich und gelblich und wird in den ersten Lebenswochen zwischen drei- und zwölfmal täglich ausgeschieden. Die Blase wird in diesem Alter noch bis zu achtzehnmal am Tag entleert. Im Alter von zwei bis drei Monaten haben die meisten Babys dann nur noch zweimal am Tag Stuhlgang, und gegen Ende der Babyzeit, mit einem Jahr, machen sie dann fast alle nur noch einmal pro Tag die Windel voll, obwohl sie die Ausscheidungsfunktionen ihres Körpers in diesem Alter noch nicht willentlich kontrollieren können.

Wer schon einmal einen kleinen Schimpansen großgezogen hat, wird wissen, daß der Reifeprozeß bei den Affen nach dem gleichen Muster verläuft. Im Unterschied zum Menschenbaby hängt das Affenjunge jedoch fast ununterbrochen an seiner Pflegeperson. In seiner »Babyphase« zeigt der Affe keinerlei Kontrolle und uriniert einfach auf den Körper seiner Ersatzmutter. Doch eines Tages gibt das Affenjunge dann plötzlich Warnhinweise, ohne daß es irgendwie darauf trainiert worden wäre. Mit einem kleinen Grunzen drückt es sich vom Körper weg, klammert sich aber nach wie vor fest, und erledigt dann sein kleines oder großes Geschäft in sicherer Entfernung vom elterlichen Körper. Diese »Hygienereaktion« scheint ganz instinktiv zu erfolgen und tritt zu einem ganz bestimmten Zeitpunkt der Entwicklung mit ungefähr zwei Jahren auf. In dieser Hinsicht sind sich das Affen- und das Menschenjunge wieder einmal sehr ähnlich. Der Kontrollmechanismus reift automatisch in einem gewissen Alter heran und kann durch Dressurmaßnahmen kaum beeinflußt werden.

Warum halten die meisten Mütter ihr Baby im linken Arm?

Eine der merkwürdigsten Eigenarten von Müttern besteht darin, daß sie ihre Babys zumeist im linken Arm halten. Woran könnte das liegen? Hat es vielleicht damit zu tun, daß die meisten Mütter Rechtshänderinnen sind und ihre rechte Hand gern frei behalten möchten? Ganz sicher nicht, denn Linkshänderinnen halten ihre Babys auch lieber im linken Arm. Genau gesagt sind es 83 Prozent der Rechtshänderinnen und 78 Prozent der Linkshänderinnen.

Die einleuchtendste Erklärung ist wohl die, daß auf der linken Seite das Herz sitzt und die Mutter ihr Kind unbewußt näher an ihren Herzschlag bringt, wenn sie es im linken Arm hält. Da das Baby den Herzschlag schon im Mutterleib gehört hat, assoziiert es mit diesem Geräusch automatisch Frieden, Trost und Geborgenheit.

Bei Untersuchungen in Kinderkrippen spielte man einigen Babys ein Tonband mit menschlichen Herztönen vor und stellte fest, daß diese Kinder doppelt so schnell einschliefen wie die anderen. Wir wissen auch, daß der mütterliche Herzschlag im Mutterleib sehr gut zu hören ist und daß das ungeborene Baby schon ein recht gut entwickeltes Hörvermögen hat. Das dumpfe Pochen des Herzens, das der Fötus Sekunde für Sekunde aus nächster Nähe zu hören bekommt, ist wohl bei weitem die einprägsamste Botschaft, die das Baby aus der Außenwelt erhält. Da ist es nicht verwunderlich, daß diese Prägung ihre Spuren auch noch in der späteren Babyzeit hinterläßt.

Interessanterweise tendieren die Väter nicht so sehr zur linken Seite wie die Mütter, woraus sich der Schluß ziehen läßt, daß das Menschenweibchen von Natur aus stärker auf Kinderpflege programmiert ist als ihr Partner. Es kann aber auch sein, daß die Mutter die Stimmung ihres Babys gefühlsmäßig besser erfassen kann und ihr Verhalten dann unbewußt darauf einstellt, um ihrem Baby mehr Geborgenheit zu vermitteln.

Neueste Untersuchungen an unseren nächsten Verwandten im Tierreich, den Schimpansen und Gorillas, haben gezeigt, daß sie beim Halten ihrer Jungen ebenfalls eine ausgeprägte Vorliebe für den linken Arm an den Tag legen. Genauer gesagt waren es 84 Prozent der Schimpansen und 82 Prozent der Gorillas, also fast derselbe Prozentsatz wie beim Menschen. Dabei ist anzumerken, daß diese Affen beim Benutzen von Werkzeugen nicht die menschliche Vorliebe für die rechte Hand teilen, was die These untermauert, daß das Halten der Babys im linken Arm nichts mit Rechtshändigkeit zu tun hat.

Seit neuestem gibt es noch eine weitere Theorie, welche die Vorliebe für das linksseitige Wiegen der Babys zu erklären versucht. Da die beiden Gehirnhälften für verschiedene Verhaltensbereiche zuständig sind, kann es sein, daß die Mutter sich ihrem Kind beim linksseitigen Wiegen von der »besten Seite« zeigen will. Emotionen zeigen sich auf der linken Gesichtshälfte angeblich stärker als auf der rechten, und deshalb hat das Baby auf der linken Seite größere Chancen, etwaige Stimmungsumschwünge seiner Mutter visuell zu erfassen. Außerdem kann die Mutter emotionale Veränderungen bei ihrem Baby mit dem linken Auge und dem linken Ohr besser wahrnehmen als mit dem rechten Auge und dem rechten Ohr. Das Halten auf der linken Seite bietet also zweierlei Vorteile: Das Baby sieht die ausdrucksvollere Hälfte seiner Mutter, und die Mutter kann sensibler auf ihr Kind reagieren. Das Ganze mag an den Haaren herbeigezogen klingen, aber es könnte doch sein, daß auch dieses Mosaiksteinchen dazu beiträgt, die merkwürdige Neigung der meisten Mütter zur Linksposition zu erklären.

Wann macht sich diese Präferenz für die linke Seite zum erstenmal bemerkbar? Ist sie instinktgesteuert, oder beruht sie auf Erfahrung? Hat die Mutter so lange verschiedene Positionen ausprobiert, bis das Baby ruhig war? Zur allgemeinen Überraschung stellte sich heraus, daß anscheinend das Baby und nicht die Mutter für die Wahl der Seite, verantwortlich ist. Bei Beobachtungen an Neugeborenen, die erst wenige Stunden alt waren, stellte man fest, daß die Kinder schon mit einer angeborenen Vorliebe für die Rechtsdrehung des Kopfes auf die Welt kommen. Wenn man den Kopf eines Neugeborenen sanft in der neutralen Mittelposition festhält und dann losläßt, dreht es den Kopf sehr viel öfter nach rechts als nach links. Das trifft für 70 Prozent aller Babys zu. Die Mutter stellt beim Füttern nun also fest, daß ihr Kind in puncto Kopfdrehung eine gewisse Vorliebe entwickelt hat, und zieht daraus vielleicht den Schluß, daß eine bestimmte Seite für ihr Baby besser ist. Wenn das Baby seinen Kopf lieber nach rechts dreht, fühlt es sich in der linken Armbeuge seiner Mutter natürlich wohler. Diese Erklärung läßt zwar auch noch Fragen offen, denn die mütterliche Vorliebe für den linken Arm liegt bei 80 Prozent und nicht bei 70 – aber ein spannendes Kapitel in der Geschichte von Mutter und Kind ist es auf jeden Fall.

Wie lernen Babys sprechen?

Von Sprache im eigentlichen Sinne kann bei Babys noch gar keine Rede sein. Das englische Wort »infant« zur Bezeichnung von Babys leitet sich von dem lateinischen *infans* ab, und das bedeutet »nicht in der Lage zu sprechen«. Trotz alledem sind Babys sehr gesprächig, auch wenn sie sich in unserem Sinne noch nicht verständlich machen können. Der Lautstrom, den sie während des ersten Lebensjahres mit wachsender Begeisterung von sich geben, das sogenannte »Babbeln«, läßt sich in mehrere typische Phasen unterteilen.

Ganz zu Anfang geben die Neugeborenen nicht sehr viel mehr als ein stimmloses Blubbern von sich, doch schon im Alter von ein bis zwei Monaten kann man beobachten, wie das Baby seine Zunge vorsichtig durch die teilweise geöffneten Lippen schiebt. Wenn es die Lippen dann wieder schließt, läuft ihm ein bißchen Speichel aus dem Mund. Man könnte es als eine Art Vor-Babbeln bezeichnen. Das Baby formt mit den Lippen Vokale und koordiniert seine Atmung mit den Lippen- und Zungenbewegungen: die Grundvoraussetzung für das spätere Sprechen. Doch in diesem Stadium werden die Mundbewegungen noch nicht von Lauten begleitet.

Im Alter von drei Monaten beginnt dann das hörbare Babbeln, das sich in den darauffolgenden Wochen schnell zu einer Art Obsession entwickelt. Zuerst ist es nicht viel mehr als ein Herumexperimentieren mit Zisch- und Grunzlauten, als ob das Baby seinen Eltern Himbeeren ins Gesicht spucken wollte. Im Laufe der Wochen entwickeln sich dann die ersten offenen Vokale, wobei die langgezogenen Ooos und Aaas die großen Favoriten sind. Zwischen dem dritten und dem sechsten Lebensmonat babbeln die Kinder dann immer mehr und führen auch

196

oft »Selbstgespräche«. Sie fangen jetzt auch an, die Vokale mit Konsonanten zu verbinden, und man hört viele ba, ka, da, ma, pa und de-Laute.

Mit der Zeit wird der Silbenstrom dann immer länger und komplizierter. Der Höhepunkt ist ungefähr mit sechs Monaten erreicht, und dann geht es wieder leicht bergab. Das liegt daran, daß nun eine neue Phase beginnt. Bisher hatte das Gebabbel des Babys wenig oder gar keinen Bezug zu den Lauten, die es von seinen Eltern hörte. Etwaige ma- oder pa-Laute gaukelten den Eltern vielleicht vor, daß sie gemeint waren, aber dem war mit Sicherheit nicht so. Es waren nur Sprechübungen. Doch zwischen dem sechsten und dem siebten Monat finden bedeutende Neuerungen statt. Die einzelnen Silben werden zu Lauten wie mamama, papapa, bububu oder ala verbunden. Auch jetzt meinen viele Eltern wieder, sie seien gemeint, doch in dieser Phase bezeichnen auch die Doppelsilben noch nichts Spezielles.

Aber das Zwiegespräch wird mit der Zeit immer wichtiger. Wenn die Eltern ihr Baby in diesem Alter ansprechen, wird es aufhören zu brabbeln und aufmerksam zuhören. Eine freundliche Stimme können die Babys jetzt auch schon identifizieren, ohne den Sprecher zu sehen. Ab und an wollen sie mit ihrem Gebabbel auch schon die Aufmerksamkeit ihrer Umgebung auf sich ziehen, obwohl die einzelnen Laute noch keine besondere Bedeutung haben. Lautstärke, Tonhöhe und Geschwindigkeit spielen beim Babbeln jetzt ebenfalls schon eine Rolle. Das Orchester stimmt sich ein, hat aber mit der richtigen Musik noch nicht begonnen. Der große Moment ereignet sich frühestens mit neun Monaten, aber das auch nur bei einem ganz geringen Prozentsatz. Die meisten Babys brauchen länger.

Das erste richtige Wort steht meist in direktem Zusammenhang mit den Eltern und lautet dann entweder Papa oder Mama. Diese Silbenverbindungen sind zwar nicht neu, doch jetzt richten sie sich tatsächlich an die dazugehörigen Personen. Zuerst ist es allerdings eine reine Ermessensfrage. Die Eltern stellen fest, daß ihr Kind in Anwesenheit des Vaters öfter papa sagt als sonst. Erst ganz allmählich nimmt das Wort dann die Bedeutung *Vater* an.

In diesem Sinne bringen 3 Prozent der Kinder ihr erstes richtiges Wort mit neun Monaten über die Lippen; mit zehn Monaten sind es bereits 10 Prozent; mit zwölf Monaten sind es dann 50 Prozent und mit achtzehn Monaten 90 Prozent. Im Alter von einem Jahr beherrschen die meisten Babys mehrere Wörter, doch sie brauchen noch ein ganzes Jahr, um die Wörter spontan zu einfachen Sätzen zu verbinden.

Untersuchungen an taub geborenen Babys liefern uns dabei wichtige Hinweise auf die Sprachentwicklung bei Kindern. Während der ersten sechs Monate babbeln die tauben Babys genauso wie alle anderen, doch in der zweiten Hälfte des ersten Lebensjahres geht die Lautbildung bei ihnen rapide zurück. Daraus läßt sich ersehen, welch großen Einfluß die Eltern nach dem sechsten Monat auf die Sprachentwicklung haben. In diesem Alter brauchen die Babys nachweislich sehr viel Ansprache. Sie kommunizieren mit ihren Eltern, auch wenn sie für bestimmte Zusammenhänge noch keine Wörter benutzen können. Wenn die Eltern sehr gesprächig sind, werden die Kinder aller Wahrscheinlichkeit nach auch gute Sprechfertigkeiten entwickeln. Sie brauchen das Feedback und die »Unterhaltung« mit ihren Eltern.

Manche Eltern verfallen zeitweise selbst in die Babysprache. Anstatt mit gutem Beispiel voranzugehen, damit die Kinder sie imitieren können, ahmen sie ihrerseits die Babys nach. Das ist für die Kinder natürlich nicht sehr vorteilhaft, und man wundert sich immer wieder, wie viele Eltern mit ihren Babys infantil herumplappern, anstatt normal zu reden – oder auch vorzulesen. Die normale Erwachsenensprache enthält eine Vielzahl von Lauten und Modulationen, die das Baby sehr gut wahrnehmen kann, auch wenn es mit der Nachahmung noch hapert.

Die Sprachimitation in großem Umfang beginnt allerdings erst gegen Ende des ersten Lebensjahres. Das läßt sich mit Sicherheit sagen, weil die Babys auf der ganzen Welt unabhängig von Kultur und Sprache die gleichen Babbellaute produzieren. Das Gebrabbel eines japanischen Babys ist von dem eines europäischen oder amerikanischen Babys nicht zu unterscheiden. Es findet also noch keine ernstzunehmende Imitation statt, auch wenn die Eltern das gern hätten. Erst gegen Ende des ersten Lebensjahres, wenn die ersten richtigen Wörter gesprochen werden, machen sich Sprachunterschiede bemerkbar, die die Babys auseinanderdividieren.

Die Antwort auf unsere Ausgangsfrage »Wie lernen Babys sprechen« muß demnach lauten, daß sie in den ersten sechs Monaten anscheinend alle auf die gleichen Babbellaute programmiert sind, unabhängig davon, ob sie taub sind oder hören, aus Fernost oder Europa stammen. In der zweiten Hälfte des ersten Lebensjahres sind sie dann darauf programmiert, ihren Eltern aufmerksam zuzuhören. Es werden allerlei Laute produziert, zuerst mehr oder weniger zufällig und später immer gezielter, wobei ein bestimmtes Wort allmählich auf einen bestimmten Kontext oder Gegenstand bezogen wird.

Im Grunde genommen kann also gar keine Rede davon sein, daß Menschenbabys sprechen *lernen*. Es wird ihnen nicht beigebracht, denn es handelt sich um eine angeborene Eigenschaft unserer Spezies. Wir können den Spracherwerb durch Konversation fördern und den Sprachschatz erweitern, aber die Sprechfähigkeit an sich ist dem Menschen angeboren. Beim Übergang von der Babyzeit ins Kleinkindalter gewinnt unsere lehrende Funktion sicherlich noch an Bedeutung, doch im großen und ganzen ist das Nachahmen immer wichtiger als das systematische Lernen. In der englischen Sprache gibt es angeblich einhundert Millionen Millionen Millionen mögliche Wortkombinationen, und durch schulmäßiges Lernen können wir ihren Sinn ganz sicher nie erfassen. Wir sind »auf Sprache gepolt«, und vielleicht ist das unsere herausragendste menschliche Eigenschaft − die mit einer einfachen Zungen- und Lippenbewegung im Alter von wenigen Wochen beginnt.

Was macht Babys so anziehend?

Wenn normale Erwachsene ein Baby zu Gesicht bekommen, wollen sie es sofort instinktiv beschützen. Diese mütterlichen und väterlichen Gefühle sind angeboren. Sie sind in unserem genetischen Programm verankert und brauchen nicht erlernt zu werden. Wenn sich diese Gefühle bei manchen Erwachsenen nicht einstellen, so kann das nur bedeuten, daß sie in irgendeiner Weise traumatisiert wurden und ihr Beschützerinstinkt verlorengegangen ist. Für sie ist es dann wahrscheinlich besser, keine Kinder zu bekommen, denn sonst übertragen sie ihre Probleme auf ihre Nachkommen und setzen das Trauma von einer lieblosen Eltern/Kind-Beziehung durch unzählige Generationen fort, was nur zu emotionalem Chaos führen kann. Es mag hart klingen, aber ein Erwachsener, den der Anblick eines Babys nicht rührt, sollte lieber keine Kinder in die Welt setzen.

Doch zurück zu den Erwachsenen, deren Beschützerinstinkt noch intakt ist. Was genau macht nun eigentlich die Anziehungskraft eines Babys aus? Diese Frage läßt sich sehr genau beantworten, weil zu diesem Thema eine ganze Reihe von Tests durchgeführt wurde. Auf verschiedenen Babybildern wurden einzelne körperliche Merkmale immer wieder verändert, und die jeweilige Wirkung auf die Erwachsenen wurde an unkontrollierbaren Gefühlsreaktionen wie der Pupillenerweiterung gemessen. Die Testergebnisse beruhen also nicht auf bewußten verbalen Äußerungen, sondern auf unbewußten Reaktionen, die von den Testpersonen nicht »verfälscht«, verändert, verbessert oder kaschiert werden konnten.

Bei diesen Tests stellte sich heraus, daß folgende Babyeigenschaften besonders anziehend auf Erwachsene wirken:

1) Ein überproportional großer Kopf.
2) Eine hohe, vorstehende, gewölbte Stirn.
3) Große tiefliegende Augen.
4) Runde Pausbacken.
5) Kurze, plumpe Gliedmaßen in Verbindung mit unbeholfenen Bewegungen.
6) Allgemeine Plumpheit und Rundlichkeit des Körpers.

Diese babyhaften Züge haben eine solche Anziehungskraft, daß wir sie sogar bei anderen Tierarten reizvoll finden. Deshalb sind auch Teddys und Pandabären so attraktiv und viel beliebter als andere Tiere mit weniger Rundungen. Aus demselben Grund haben auch Puppen so rundliche Gesichter − und haben Erwachsene mit einem Babygesicht zusätzlich zu ihren normalen sexuellen Reizen noch die besondere Ausstrahlung eines »Sexkätzchens« oder eines »hilflosen kleinen Jungen«.

Für die Menschenbabys sind diese Attraktivitätsmerkmale lebenswichtig, denn sie lösen in den Eltern automatisch den Beschützerinstinkt aus und sorgen dafür, daß sie sich auch in Zeiten seelischer Anspannung um ihre Sprößlinge kümmern. Da solch außergewöhnliche Belastungen gerade bei jungen Eltern kaum zu vermeiden sind, brauchen die Menschenbabys jede erdenkliche Hilfe, die das Genprogramm zu bieten hat.

Reagieren Frauen und Männer unterschiedlich auf den Anblick eines Babys?

Ja, das tun sie, aber nicht so, wie man es vielleicht erwartet hätte, denn die eigens zu diesem Zweck durchgeführten Tests förderten überraschende Ergebnisse zutage. Zuvor war es immer recht schwierig gewesen, die Wahrheit herauszufinden, weil die Leute so höflich sind. Wenn man sie fragt, ob ein bestimmtes Baby ihnen gefällt, brechen sie meist in Begeisterungsstürme aus, weil sie die stolzen Eltern nicht verletzen wollen. Doch was denken sie wirklich?

Diese Frage läßt sich am besten beantworten, wenn man untersucht, wie sich die Pupillen der Erwachsenen beim Anblick eines Babys verändern. Wenn ihnen das, was sie sehen, wirklich gefällt, weiten sich ihre Pupillen stärker, als es der jeweilige Lichteinfall vermuten ließe. Selbst bei ausgesprochen grellem Licht kann der Anblick eines Babys eine leichte Pupillenvergrößerung bewirken. Gefällt den Erwachsenen jedoch nicht, was sie sehen, so ziehen sich ihre Pupillen trotz der offiziellen Lobeshymnen unverhältnismäßig stark zusammen, als ob sie sich dem ungeliebten Anblick entziehen wollten.

Nach zahlreichen Untersuchungen stellte sich schließlich heraus, daß sich die Testpersonen in zwei verschiedene Kategorien einteilen lassen: 1) Erwachsene, die selbst keine Kinder haben (verheiratet oder ledig), und 2) Erwachsene, die schon eigene Kinder haben. Beim Anblick eines schönen Babys zeigten die Frauen in beiden Gruppen eine ausgesprochen positive Gefühlsreaktion. Bei genauerer Betrachtung der kindlichen Gestalt war eine deutliche Pupillenerweiterung festzustellen.

Interessante Unterschiede waren bei den männlichen Testpersonen zu beobachten. Männer, die selbst schon Kinder hatten, zeigten ebenfalls eine sehr positive Reaktion, wobei sich die Pupillen fast genauso stark erweiterten wie bei den Frauen. Doch Männer, die — verheiratet oder ledig — noch keine Väter waren, zeigten eine starke *negative* Reaktion. Ihre Pupillen zogen sich zusammen, als ob sie das Gesehene weit von sich weisen wollten.

Daraus läßt sich schließen, daß die elterlichen Gefühle bei Männern und Frauen nicht in der gleichen Weise aktiviert werden. Junge Frauen sind auf mütterliches Verhalten vorprogrammiert, wohingegen junge Männer erst durch eigene Kinder auf den Geschmack kommen. Das bedeutet aber nicht, daß Männer schlechte Väter sind. Sie brauchen zur Aktivierung ihres Beschützerinstinkts lediglich einen Anstoß von außen, während Frauen sich automatisch und schon sehr früh von Babys angezogen fühlen.

Die jungen Frauen brauchen also nicht gleich die Alarmglocke zu läuten. Denn auch wenn sich ein junger Mann nur mäßig für die Kinder anderer Leute interessiert, kann trotzdem ein hingebungsvoller Vater aus ihm werden, sobald er erst einmal selbst Kinder hat.

Warum bekommen manche Mütter Zwillinge?

Die Chance, Zwillinge zu gebären, liegt in europäischen Ländern und in den Vereinigten Staaten bei 1 zu 100. Das gilt aber nicht weltweit. In Japan liegt die Vergleichszahl mancherorts nur bei 1 zu 200, und in einigen afrikanischen Ländern wie beispielsweise Nigeria stehen die Chancen 1 zu 22.

Es sieht also ganz so aus, als ob die Rassenzugehörigkeit einen gewissen Einfluß auf die Häufigkeit von Zwillingsgeburten hat. Oft wurde die Ursache auch in klimatischen Unterschieden vermutet, doch damit läßt sich dieses Phänomen nicht erklären, denn im kühlen Großbritannien bekommen schwarze Frauen immer noch häufiger Zwillinge als asiatische, westindische und japanische Immigrantinnen, obwohl sie doch alle unter demselben rauhen Klima zu leiden haben.

Bei näherem Hinsehen stellt sich dann auch heraus, daß die Rassenunterschiede nur bei zweieiigen Zwillingen zum Tragen kommen. Die Wahrscheinlichkeit, eineiige Zwillinge zu gebären, ist auf der ganzen Welt ungefähr gleich, nämlich 3 oder 4 zu 1000.

Bei der Entstehung von zweieiigen Zwillingen scheinen mehrere Faktoren eine Rolle zu spielen. Nicht nur die Rassenzugehörigkeit, sondern auch die persönliche Disposition ist von Bedeutung. Die Chancen, zweieiige Zwillinge zu gebären, erhöhen sich, wenn die Mutter schon einmal Zwillinge geboren hat, selbst ein Zwilling ist oder Zwillinge als Geschwister hat. Die Quote von 100 zu 1 verringert sich dann auf 70 zu 1. Andererseits spielt aber die Geburt von *eineiigen* Zwillingen in der Familiengeschichte keine Rolle. Auch zweieiige Zwillinge auf seiten des Vaters sind unerheblich.

Das Alter der Mutter ist ebenfalls ein bedeutsamer Faktor. Je älter sie ist, desto größer ist ihre Chance, zweieiige Zwillinge zu bekommen. Mit Ende Dreißig hat sich die Quote bereits von 100 zu 1 auf 70 zu 1 verringert. Auch die Familiengröße kann Zwillingsgeburten begünstigen. Je mehr Kinder eine Frau hat, desto größer ist die Wahrscheinlichkeit, daß sie beim nächsten Mal, unabhängig vom Alter, Zwillinge bekommt.

Auch die Statur der Mutter ist nicht unerheblich. Wenn sie größer oder dicker ist als der Durchschnitt, hat sie mehr Aussichten auf ein Zwillingspaar, als wenn sie schlank und zierlich ist.

Wohlstand ist ebenfalls für vermehrte Zwillingsgeburten verantwortlich. In Kriegszeiten sank die Zwillingsquote parallel zur abnehmenden Qualität der Nahrungsmittel. Nach dem Zweiten Weltkrieg kam es dann zu einem regelrechten Zwillingsboom, wobei die Quote in Europa auf 1 zu 80 anstieg. Solcherlei Schwankungen sind uns auch aus der Tierwelt bekannt, und sie dienen ganz sicher der Anpassung an äußere Umstände. Wenn nur wenig Nahrung zur Verfügung steht, fällt der Wurf bei den Tierweibchen zahlenmäßig geringer aus; ist reichlich Futter vorhanden, so steigt die Anzahl der Jungen wieder.

Zweieiige Zwillinge entstehen dadurch, daß bei der Ovulation zwei Eier gleichzeitig in die Gebärmutter wandern und von verschiedenen Samen befruchtet werden. Bei eineiigen Zwillingen wird nur ein einziges Ei befruchtet und teilt sich dann in zwei.

An der Tatsache, daß Zwillingsgeburten vergleichsweise selten vorkommen, läßt sich ablesen, daß im »Fortpflanzungsprogramm« unserer Spezies eigentlich nur ein Kind pro Geburt vorgesehen ist. Wenn man bedenkt, wieviel Arbeit schon ein einzelnes Menschenkind macht, erscheint diese Regelung durchaus sinnvoll. Zwillinge sind also in gewisser Weise ein Irrtum – eine kleine Schwachstelle im System. Vielleicht sind deshalb die potentiellen Mütter von Zwillingen eher ein wenig behäbiger, älter, wohlgenährter, fruchtbarer usw. als die anderen. Darüber hinaus scheint auch das Sexualverhalten eine Rolle zu spielen. Im allgemeinen kann man sagen, daß hastige, leidenschaftliche oder auch gewalttätige Sexualpraktiken bei der Empfängnis die Wahrscheinlichkeit einer Zwillingsgeburt erhöhen. So kommen beispielsweise öfter Zwillinge zur Welt, wenn die Mutter jung verheiratet ist, als Frau eines Soldaten oder Seemanns lange Perioden der Enthaltsamkeit hinter sich hat, wenn sie unverheiratet ist oder vergewaltigt wurde. In all diesen Fällen ist der Geschlechtsakt meist mit sehr viel Emotion verbunden, und vielleicht wird deshalb ein zweites Ei ausgestoßen.

Von diesen sozialen Faktoren einmal abgesehen, gibt es auch ganz persönliche genetische Voraussetzungen, die in bestimmten Familien zu einer erhöhten Zwillingsquote führen. Da können dann die oben erwähnten sozialen Faktoren völlig unerheblich sein. Im großen und ganzen sind aber die Chancen, statt eines Babys gleich zwei zu bekommen, sehr gering.

Ein Mann, der gern Vater von Zwillingen werden möchte, sollte also nach Möglichkeit eine große, übergewichtige, siebenunddreißigjährige Nigerianerin mit Zwillingsgeschwistern heiraten und sich in den Flitterwochen als leidenschaftlicher Liebhaber erweisen. Grob geschätzt müßten sich die Chancen für eine Zwillingsgeburt dadurch auf 10 zu 1 erhöhen.

Den Weltrekord bei Mehrlingsgeburten hält eine russische Bäuerin, die im achtzehnten Jahrhundert nicht weniger als 16 Zwillingspaare, siebenmal Drillinge und viermal Vierlinge bekommen haben soll. Da es durch die Nebenwirkungen moderner Hormonpräparate heute verstärkt zu Mehrlingsgeburten kommt, könnte diese Spitzenleistung vielleicht eines Tages noch überboten werden, doch im Normalfall hat eine Frau nur verschwindend geringe Chancen, in dieser ganz speziellen Disziplin neue Rekorde aufzustellen. Schon bei Drillingen beträgt die Wahrscheinlichkeit nur noch 8000 zu 1, und darüber hinaus bestehen dann kaum noch Aussichten auf Erfolg.

Warum schreien Babys im Flugzeug?

Wenn Mütter mit kleinen Babys fliegen, sind sie oft angenehm überrascht, wie friedlich ihr Sprößling die ganze Zeit über schlummert. Doch wenn der Pilot dann zur Landung ansetzt, wird die himmlische Ruhe plötzlich von markerschütterndem Geschrei zerrissen. Das Baby befindet sich anscheinend in einer akuten Notsituation und läßt sich kaum beruhigen. Was könnte die Ursache dafür sein?

Die Antwort liegt in einer kleinen, luftgefüllten Höhle des Mittelohrs, ungefähr 8 mm mal 4 mm groß, in der zur Erhaltung des Wohlbefindens immer derselbe Luftdruck herrschen muß wie in der Außenwelt. Beim Landeanflug geraten diese Druckverhältnisse nun vorübergehend aus dem Gleichgewicht, und das kann, vor allem für Babys, sehr schmerzhaft sein, denn die kleinen Ohren sind noch ziemlich empfindlich. Außerdem können sich Säuglinge nicht erklären, woher plötzlich dieser stechende Kopfschmerz kommt.

Erwachsene können ihre Beschwerden lindern, indem sie sich die Nase zuhalten, ihre Lippen fest zusammenpressen und kräftig pusten. Der Druckausgleich kommt dadurch zustande, daß die Luft durch die Eustachische Röhre − die Verbindung zwischen Mittelohrhöhle und hinterem Rachen − hochgedrückt wird. Doch bei Babys funktioniert dieser Trick noch nicht. Sie müssen warten, bis sich der Druck nach einiger Zeit ganz von allein ausgleicht. Erfahrene Mütter, die häufig fliegen und dieses Problem schon kennen, versuchen sich damit zu behelfen, daß sie ihrem Baby kurz vor dem Landeanflug eine Flasche zu trinken geben. Diese Methode ist sicherlich nicht unfehlbar, doch bei einigen Babys scheint sie zu wirken, und einen Versuch ist sie auf alle Fälle wert.

Warum werden Babys beschnitten?

Millionen von männlichen Babys auf der ganzen Welt werden schon wenige Tage nach der Geburt verstümmelt, indem man ihnen die Vorhaut entfernt. In manchen Ländern wird der Eingriff schon wenige Stunden nach der Entbindung vorgenommen. In anderen Teilen der Welt greift man erst am dritten, am vierten oder auch am achten Tag zum Messer.

Bevor wir nach den Gründen fragen, wollen wir die Operation selbst näher erläutern. Dabei wird auf chirurgischem Weg die Haut entfernt, die die empfindliche Peniskuppe vor Reibung, Infektion und körperlichem Schaden bewahren soll. Sie ist aber kein nutzloses Anhängsel, das man so einfach wegschneiden kann, sondern ein wertvolles männliches Körperteil. Bei der Geburt haftet sie noch an der darunterliegenden Haut und kann nicht zurückgezogen werden. Sie löst sich erst, wenn das Kind drei oder vier Jahre alt ist, und deshalb darf man bei männlichen Babys auch nie versuchen, die Vorhaut zurückzuziehen, denn dadurch könnte man das Gewebe verletzen.

Das Entfernen der Vorhaut bereitet dem Baby große Schmerzen und hinterläßt eine Wunde, die verbunden werden muß. Es kann sehr leicht zu Infektionen oder Blutungen kommen. Einer neuen Studie zufolge litten 22 Prozent der beschnittenen Babys an einer Blutung oder Sepsis. Dadurch, daß die Harnröhrenöffnung am Ende des Penis nach der Beschneidung ungeschützt ist, kommt es − vor allem durch feuchte Windeln − häufig zu Geschwüren. Allein in Großbritannien gehen durchschnittlich 16 Tote pro Jahr auf das Konto dieser »kleinen« Operation.

Warum werden die Jungen dann trotzdem noch beschnitten? Wenn wir männliche Babys an anderen Stellen so verstümmeln würden, kämen wir wegen Kindesmißhandlung vor Gericht. Wie konnte sich die Beschneidung bis ins zwanzigste Jahrhundert halten? Um diese Frage zu beantworten, müssen wir 6000 Jahre zurückgehen. Aus Wandmalereien läßt sich ersehen, daß der Brauch aus dem alten Ägypten stammt und anscheinend mit der Schlangenverehrung in Zusammenhang stand. Die Ägypter glaubten, wenn die Schlange sich häutete und danach in neuem Schuppenglanz erstrahlte, sei sie wiedergeboren worden. Da die Schlange durch das Abstreifen ihrer Haut offenbar unsterblich wurde, wollten sie es ihr gleichtun. Sie stellten die simple Gleichung auf: Schlangenhaut = Vorhaut, und die Operation konnte beginnen. Später wurde dieser Brauch von vielen semitischen Völkern übernommen. Die Araber beschnitten genauso wie die Juden, und zwar aus religiösen Gründen. Im Laufe der Jahrhunderte breitete sich die Beschneidung dann aus moralischen, medizinischen und hygienischen Gründen auch in anderen Teilen der Welt aus, und noch heute werden in aller Herren Länder Millionen von Babys auf diese Weise verstümmelt.

Von dem ursprünglichen Aberglauben einmal abgesehen, wurde die Beschneidung noch mit folgenden Argumenten gerechtfertigt: 1) Es kommt weniger häufig zum Geschlechtsverkehr. 2) Sie dient als eine Art »Treueschwur« zwischen Stammesmitgliedern oder Angehörigen einer bestimmten Gesellschaftsschicht. 3) Sie heiligt die Männer, denn auch der Prophet Mohammed wurde ohne Vorhaut geboren. 4) Der Besitz einer Vorhaut ist unhygienisch. 5) Beschneidung wirkt vorbeugend gegen Masturbation. 6) Durch die symbolische Entfernung der Männlichkeit wird den Göttern ein Opfer dargebracht. 7) Es wird ein physischer Defekt des männlichen Körpers entfernt. 8) Unter der Vorhaut verbirgt sich der Teufel, der mittels Beschneidung enttarnt und seines Versteckes beraubt werden muß. 9) Die Vorhaut verursacht Krankheiten wie Hysterie, Epilepsie und nächtliche Inkontinenz. 10) Das

Behalten der Vorhaut führt zu Geisteskrankheiten. 11) Nicht beschnittene Männer können Peniskrebs und ihre Ehefrauen Gebärmutterhalskrebs bekommen. 12) Durch die Beschneidung wird der Junge erst zum »richtigen« Mann.

All diese Gründe sind vollkommen unsinnig. Es gibt kein einziges Argument, mit dem sich eine derartige Verstümmelung kleiner Jungen rechtfertigen ließe. Die Wahrheit sieht nämlich folgendermaßen aus: 1) Die Beschneidung hat keinerlei Auswirkungen auf die sexuelle Leistungsfähigkeit des erwachsenen Mannes. 2) Heutzutage kann durch Beschneidung keine Stammeszugehörigkeit mehr ausgedrückt werden, weil der Eingriff an unzähligen Männern in den verschiedensten Ländern und Kulturen der ganzen Welt vorgenommen wird. 3) Es mag sein, daß Mohammed ohne Vorhaut geboren wurde. Der Medizin sind solche Fälle nicht unbekannt. Doch durch simple Nachahmung dieser medizinischen Besonderheit wird wohl kaum ein Mann heilig werden. 4) Der Besitz einer Vorhaut ist nicht unhygienisch, wenn der Mann sich von Zeit zu Zeit darunter wäscht − und das ist ja heutzutage kein Problem mehr. 5) Beschneidung hat keinerlei Einfluß auf die Masturbationshäufigkeit. 6) Da die Entfernung der Vorhaut die Männlichkeit in keiner Weise beeinträchtigt, stellt dieser Eingriff kein großes Opfer für die Götter dar. 7) Es wird kein physischer Defekt, sondern ein wertvolles Körperteil entfernt: eine schützende Hautfalte. 8) Wer an den Teufel glaubt, weiß ganz genau, daß er mit Vorliebe durch ungeschützte Öffnungen in den menschlichen Körper eindringt. Demnach wären Unbeschnittene also weniger gefährdet als Beschnittene. 9) Das Behalten der Vorhaut verursacht keinerlei Krankheiten, es werden höchstens einige Unannehmlichkeiten verhindert, wie oben bereits erwähnt. 10) Die Vorhaut ist ganz bestimmt nicht für Geisteskrankheiten verantwortlich. 11) Die Behauptung, daß der Besitz einer Vorhaut bestimmte Krebsarten begünstige, hat sich inzwischen als vollkommen falsch herausgestellt. 12) Wenn eine derartige Verstümmelung notwendig ist, um den Jungen zum Mann zu machen, dann sind wir auf dem Niveau primitiver Stämme angelangt, die sich die Haut mit Narben verzieren. Eigentlich hatten wir uns aber zu der Meinung durchgerungen, daß solche Praktiken verabscheuungswürdig sind.

Es gibt noch einen weiteren, recht unerfreulichen Grund dafür, warum heutzutage immer noch so viele Jungen beschnitten werden. In manchen Ländern werden die Babys nur deshalb verstümmelt, weil es für den ausführenden Arzt eine hübsche Summe Geld bedeutet. Es ist bezeichnend, daß die Beschneidungsoperationen in Großbritannien nach Einführung des National-Health-Systems mit kostenloser Behandlung auf 0,41 Prozent der männlichen Bevölkerung zurückgingen. In einem anderen Land, wo die Ärzte immer noch privat abrechnen durften, wurden noch über 80 Prozent der männlichen Babys beschnitten, bevor sie die Entbindungsklinik verließen.

Es ist aber ganz schlicht und ergreifend so, daß die männlichen Babys sehr gut auf diese Form der »Kindesfürsorge« verzichten können. In dieser Hinsicht wurden die Mädchen vom Schicksal begünstigt. Ihr Körper eignet sich nicht so gut für Verstümmelungen, weshalb sie gute Chancen haben, ihre Babyzeit mit heilen Genitalien zu überstehen. Das gibt ihnen aber leider noch keine Garantie für das ganze Leben. Viele junge Mädchen in nicht weniger als 25 verschiedenen Ländern werden auch heute noch beschnitten. Die Tatsache, daß sie schon aus dem Babyalter heraus sind, macht das Ganze nur noch schlimmer, denn sie wissen schon, was mit ihnen geschieht. In manchen Ländern wird nur die Klitoris entfernt, doch oft bezieht die Operation noch weitere Körperteile mit ein. In Afrika, im Nahen Osten und in Teilen Asiens leben nicht weniger als 74 Millionen Frauen, die diese grausame Verstümmelung über sich ergehen lassen mußten.

Warum werden Babys getauft?

Für viele Leute ist der Begriff Taufe gleichbedeutend mit dem christlichen Brauch der feierlichen Namensgebung, doch das Taufritual ist wesentlich älter und wird schon seit Tausenden von Jahren in den verschiedensten Ländern der Welt praktiziert. Im wesentlichen geht es dabei um die Reinigung des Kindes mit Wasser.

Wenn so viele Erwachsene an so vielen Orten immer wieder das Bedürfnis hatten, ihr Neugeborenes zu reinigen, dann müssen sie es wohl zuvor als etwas Unsauberes betrachtet haben. Woran könnte das liegen? Wie um alles in der Welt gelangten die Menschen zu der Auffassung, daß solch ein total unschuldiges Wesen, das frisch aus dem Mutterleib kommt, »unrein« sein könnte? Von der Vernunft her ist das gar nicht zu begreifen, aber mit Vernunft hat die Taufe auch nichts zu tun. Sie ist ein merkwürdiges Relikt aus früheren Zeiten, als das Leben der Erwachsenen noch von Aberglauben und Zauberei beherrscht wurde.

Für die vermeintliche Unreinheit des Neugeborenen gibt es zwei verschiedene Erklärungen. Bei der ersten wird die Geburt als ausgesprochen »animalischer« Akt betrachtet, wobei das Baby ein kleines Biest voller schlechter, angeblich tierischer Eigenschaften ist. Um es nun auf die höhere »menschliche« Ebene zu erheben, muß etwas getan werden. Durch das Eintauchen in Wasser oder durch das Besprenkeln mit Wasser wird das Kind durch die Reinheit des Wassers geläutert. Dadurch werden symbolisch die tierischen Eigenschaften von ihm abgewaschen, und *erst dann* ist es unschuldig.

Bei der zweiten Erklärung betrachtet man das Böse nicht unbedingt als naturgegeben, sondern als mögliche Gefahr. Da das Baby so verletzlich und schutzlos ist und die Geburt ein solch freudiges Ereignis darstellt, könnten böse Geister vom Baby Besitz ergreifen wollen, wenn man es nicht auf irgendeine Weise dagegen immunisierte. Es war wohlbekannt, daß sich böse Geister immer dann in großer Zahl einstellten, wenn einem menschlichen Wesen irgend etwas Besonderes widerfahren war. Glücksmomente waren besonders attraktiv für sie. Die Behandlung mit reinem Wasser diente in diesem Fall also dazu, das Baby zu stärken und vor dem Angriff böser Geister zu schützen. Ungetaufte Babys waren für den Rest ihres Lebens hilflos der Macht des Bösen ausgeliefert.

Bei der Taufzeremonie gab es des öfteren recht eigentümliche Varianten. In Irland war man im sechzehnten Jahrhundert der Ansicht, der rechte Arm eines männlichen Babys solle unrein bleiben – als Erwachsener würde es ihn dringend brauchen, um seine Feinde mit Schwert oder Dolch zu besiegen. Deshalb wurde peinlich genau darauf geachtet, daß der rechte Arm des Babys während der Taufe nicht mit Wasser in Berührung kam. So wurden die Kinder rein an Herz und Körper, aber böse im rechten Arm, der später zum Instrument von Tod und Zerstörung ausreifte.

Sehr wichtig war auch die Reaktion des Babys auf die Taufzeremonie. Damit im späteren Leben alles gut lief, sollte das Kind in manchen Gesellschaften schreien, in anderen hingegen möglichst still sein. Die Christen freuten sich bei ihren Täuflingen über lang anhaltendes Gebrüll, weil die Kinder so von ganz allein die bösen Geister vertrieben, die in ihren Körper eindringen wollten. In anderen Kulturkreisen betrachtet man das Geschrei des Täuflings als Widerstand gegen die Reinigung. Demnach wird ein Baby, das bei der Taufe schreit, schon sehr früh von Dämonen heimgesucht. Wer an nichts dergleichen glaubt, sein Baby aus Konformitätsgründen aber trotzdem noch taufen lassen möchte – oder weil er den Familienzuwachs einfach feiern will –, kann sich damit trösten, daß es immer eine positive Interpretation gibt, egal ob das Baby nun schreit oder nicht.

Warum tragen Jungen Blau und Mädchen Rosa?

Den heutigen Frauen wird die Antwort auf diese Frage kaum gefallen, denn der Brauch stammt noch aus längst vergangenen Zeiten, als Jungen ein sehr viel höheres Ansehen genossen als Mädchen. Damals brauchte man für die männlichen Babys eine schützende Farbe, die für gutes Gedeihen sorgte. Man entschied sich für Blau – die Farbe des Himmels –, um sich des göttlichen Schutzes gegen die Macht des Bösen zu versichern.

In jenen Tagen war der Glaube an böse Geister weit verbreitet und sehr ausgeprägt. Man war überzeugt, daß diese bösen Kräfte vor allem von glücklichen Ereignissen wie Geburt, Heirat, Triumph und Erfolg angezogen würden. Deshalb mußte man sich Verschiedenes einfallen lassen, um die Angriffe dieser imaginären Geister abwehren zu können. Im Laufe der Jahrhunderte trieb der Aberglaube die seltsamsten Blüten, und auch wir, die wir nicht mehr an böse Geister glauben, wünschen uns immer noch »viel Glück« und versuchen, »Unglück« zu vermeiden. Viele der alten Schutzrituale sind auch heute noch gebräuchlich: Wir kreuzen die Finger, tragen geliehene Kleidung zur Hochzeit, der Bräutigam trägt die Braut über die Schwelle, wir vermeiden es, unter Leitern hindurchzugehen, und vieles mehr. All diese Bräuche haben geheimnisvolle, längst vergessene Bedeutungen, doch sie schützen uns immer noch vor den alten bösen Geistern. So war es auch mit der »himmelblauen« Kleidung für kleine Jungen, denn im Himmel ist das Königreich des Guten.

Wenn die bösen Geister bedrohlich um die Wiege des Neugeborenen herumschleichen, um in seinen Körper einzudringen und ihm Schaden zuzufügen, werden sie von den magischen Kräften des geheiligten Blau in Kleidung und Kinderzimmer des Jungen in Schach gehalten und vertrieben. In einigen Ländern des Nahen Ostens wird nicht nur das Baby, sondern das ganze Haus beschützt, indem man die Eingangstür leuchtend blau anstreicht.

Wenn die blaue Kleidung als notwendige Versicherung gegen übernatürliche Kräfte angesehen wurde, bleibt trotzdem unverständlich, warum man die Mädchen nicht auf dieselbe Weise schützte. Warum zog man ihnen nicht auch blaue Kleider an? Die praktische Antwort auf diese Frage lautet, daß man ein gut sichtbares Unterscheidungsmerkmal für die verschiedenen Geschlechter brauchte. Es mußte also eine andere Farbe als Blau sein. Auf Rosa fiel die Wahl wahrscheinlich deshalb, weil es dem kindlichen Hautton entsprach (zumindest im alten Europa) und eine erdverbundene, natürliche Farbe war. In der Psychologie assoziiert man mit der Farbe Rosa Gesundheit und Unbeflecktheit — das reine Rosa der makellosen Haut —, weshalb sie sich besonders gut für weibliche Babys eignet. Rosa besaß vielleicht nicht die gleichen Schutzqualitäten wie Blau, aber da weibliche Babys sehr viel weniger Achtung genossen als männliche, hatten die bösen Geister ohnehin kein großes Interesse an ihnen.

Als dann im Laufe der Jahrhunderte die ursprünglichen Gründe für die Farbwahl in Vergessenheit gerieten, mußten neue Erklärungen erfunden werden, um die unvermeidbaren Fragen beantworten zu können. Es wurde behauptet, die Jungen trügen Blau, weil sie in Blaukrautfeldern geboren würden, und die Mädchen trügen Rosa, weil sie in rosa Rosen zur Welt kämen. Aber auch diese phantasievollen Erklärungen gerieten mit der Zeit in Vergessenheit, und heutzutage weiß kaum noch jemand, was es mit den verschiedenen Babyfarben auf sich hat. Doch wen stört das schon? Das Blau für die Jungen und das Rosa für die Mädchen hat sich einfach so »eingebürgert« und wird nicht mehr hinterfragt.

Warum wurde die Ankunft des Babys mit einem Geburtstagskuchen gefeiert?

Früher war es gang und gäbe, die Ankunft eines neuen Erdenbürgers — bei der Taufe oder einem entsprechenden Fest — mit einem speziellen Geburtstagskuchen zu feiern. Jeweils am Jahrestag des Geburtstages wird dann, verbunden mit einem kleinen Ritual, ein ähnlicher Kuchen aufgetischt — doch nur wenige wissen, was sie da eigentlich tun. Sie zelebrieren nämlich eine alte Form der Mondesanbetung, ohne sich dessen bewußt zu sein. Deshalb ist der Geburtstagskuchen typischerweise auch rund, weiß und mit Kerzen besetzt. Die runde Form steht für den Vollmond, die weiße Glasur erinnert an die blasse Farbe des Mondes, und die Kerzen symbolisieren den Mondschein.

Dieser Brauch entstand im antiken Griechenland, als die Mondesverehrer begannen, der Mondgöttin Opfer in Form von kleinen, runden Kuchen darzubringen, auf denen eine einzelne Kerze brannte. Die Idee, den Geburtstag zu feiern, hatten die Griechen von den alten Ägyptern entlehnt, und der Kuchen wurde von den alten Persern übernommen.

Im Mittelalter entwickelten germanische Bauern diesen Brauch dann weiter, indem sie in der Morgendämmerung Kerzen anzündeten, die den ganzen Tag über brannten und erst bei der abendlichen Zusammenkunft feierlich ausgepustet wurden. Dann wurde der Kuchen aufgeteilt und gegessen. Die Kerzen mußten alle auf einmal ausgeblasen werden, wenn ein geheimer Wunsch, der in diesem Moment gefaßt wurde, in Erfüllung gehen sollte. Den Geburtstagskuchen des Neugeborenen zierte nur eine Kerze. Am Ende der Babyzeit, wenn das Kind ein Jahr alt wurde, waren es bereits zwei, und in den darauffolgenden Jahren wurde dann für jedes zusätzliche Lebensjahr eine neue Kerze hinzugefügt.

Heutzutage übergehen wir irrtümlicherweise die »Geburtskerze«. Ein einjähriges Kind feiert seinen Geburtstag mit einer Kerze, ein zweijähriges mit zwei Kerzen usw., aber das ist falsch. Eigentlich sollte immer eine Kerze mehr als die Anzahl an Jahren auf dem Geburtstagskuchen stehen, denn die erste Kerze vom »Geburtskuchen« zählt auch mit. Diese »Lebenskerze« symbolisiert, daß das Baby heil angekommen ist und als lebendes Wesen existiert.

Wie so oft beim feierlichen Gebrauch des Feuers geht auch von den Kerzen auf dem Geburtstagskuchen eine magische Kraft aus. Ihr brennendes Licht soll die bösen Geister vertreiben, die sich so gern unter die Festtagsgäste mischen. Deshalb müssen die Kerzen auch am Ende der Geburtstagsparty feierlich ausgepustet werden – es zeigt, daß das Ereignis erfolgreich überstanden ist und nun kein Schutz mehr benötigt wird. Da die Kerzen auch das Leben symbolisieren, bedeutet das Ausblasen mit einem Atemzug, daß man die Kräfte des Lebens vollkommen unter Kontrolle hat. Es demonstriert die momentane Fähigkeit, sein Schicksal zu meistern, weshalb dann auch ein geheimer Wunsch für die Zukunft, der im selben Augenblick gefaßt wird, in Erfüllung gehen wird.

Wenn Sie an magische Kräfte glauben, sollten Sie Ihr Neugeborenes also dem alten Ritual entsprechend mit einem runden, weißen Kuchen empfangen, auf dem eine einzelne Lebenskerze brennt. Zum krönenden Abschluß dürfen Sie dann nicht vergessen, beim Auspusten der Kerze einen geheimen Wunsch für das zukünftige Glück Ihres Kindes zu fassen.

Wieso bringt angeblich der Storch die Babys?

Als die meisten Babys noch zu Hause und nicht in der Entbindungsklinik zur Welt kamen, waren die Geschwisterkinder natürlich sehr neugierig und wollten wissen, woher das neue Baby gekommen war und warum ihre Mutter im Bett lag, als wäre sie krank oder verletzt. Anstatt ihnen die Wahrheit zu sagen, erfanden die Eltern eine Geschichte, die die plötzliche Ankunft des Babys und die Unpäßlichkeit der Mutter erklären sollte. Sie erzählten den Kindern, der Storch hätte das Baby gebracht und der Mutter ins Bein gepickt, als er das Kind überreichen wollte. Diese Geschichte erklärte hinreichend, warum das Baby so plötzlich gekommen war und warum die Mutter im Bett bleiben mußte. Selbst die blutige Wäsche ließ sich damit begründen. Und die Kinder akzeptierten diese Erklärung, die als simple, aber äußerst beliebte Legende um die ganze Welt ging. Doch warum mußte es ausgerechnet der Storch sein?

Die Legende stammt aus jenen Teilen Europas, in denen jedes Jahr auf den Hausdächern die Störche nisteten, vor allem in Deutschland, Holland und Teilen Skandinaviens. Den Menschen fiel auf, daß diese riesigen Vögel, die groß und stark genug waren, schwere Gewichte wie beispielsweise neugeborene Babys zu tragen, jedes Jahr wieder zu denselben Nestern zurückkehrten. Viele Hausbesitzer bauten spezielle Vorrichtungen auf ihre Dächer, damit die Störche sich dort einnisten konnten. Tagsüber flogen die Störche aus, um in den nahegelegenen Flüssen, Seen und Sümpfen auf Nahrungssuche zu gehen – dort sollten angeblich auch die Seelen der ungeborenen Kinder wohnen. Die Störche konnten die Babys also leicht finden und zu ihren Nistplätzen mitnehmen. Von dort gelangten die Säuglinge dann durch den Schornstein in das elterliche Schlafzimmer. Für die Störche als Lieferanten von Menschenbabys sprach außerdem die Tatsache, daß sie sehr gute Eltern sind und ihre Küken mit größter Hingabe und Zärtlichkeit behandeln.

Es mag seltsam anmuten, daß man den Kindern erzählte, die kleinen Babys kämen von außerhalb ins Schlafzimmer der Mutter, doch die Geschichte hat in gewisser Weise Tradition. In früheren Zeiten glaubten viele Menschen an eine Muttergottheit oder Mutter Erde, die für die Geburt der gesamten Natur inklusive der Menschenbabys verantwortlich war. Es hieß, die Göttin produziere die Babys in ihrem eigenen Leib − der Erde selbst − und setze sie dann an der Oberfläche ab, damit die Menschen (oder andere Tiere) sie dort finden konnten. Manchmal erzählten die Eltern ihren Kindern, sie hätten die neuen Babys ganz einfach in einem »Kohlfeld«, »unter einem Stachelbeerbusch« oder sonst irgendwo auf dem Boden gefunden, wo die große Mutter Erde sie abgelegt hatte.

Vor diesem Hintergrund ist der legendäre Storch dann nicht sehr viel mehr als ein nützlicher Bote, welcher der Menschenmutter die Mühe abnimmt, aus dem Haus zu gehen und ihr neues Baby zu suchen − eine faire Gegenleistung für die wertvolle Nisthilfe auf dem Dach.

Warum küssen wir das Baby, wenn es sich verletzt hat?

Wenn das Baby richtig anfängt zu krabbeln, bleiben erste kleine Kollisionen mit scharfen oder spitzen Gegenständen nicht aus, und manchmal fängt es dann vor Schmerzen an zu schreien. Die typische Reaktion der Mutter sieht so aus: Sie geht zu ihrem Kind, nimmt es auf den Arm und drückt es an sich; gleichzeitig untersucht sie den Schnitt oder die Prellung. Vielleicht wiegt sie das Kind in ihren Armen auch hin und her, klopft ihm den Rücken und flüstert ihm zärtliche Worte ins Ohr. Das Baby beruhigt sich dann normalerweise sehr schnell, und am Ende fragt die Mutter wahrscheinlich, wo es denn weh tue, und küßt die Stelle, die ihrer Meinung nach schmerzt. Oft sagt sie noch dazu: »Mit einem Küßchen wird alles wieder gut.«

Das Auflegen der Lippen auf die verletzte Stelle hat zwar keinerlei physischen oder medizinischen Wert, wirkt aber auf Mutter und Kind ausgesprochen tröstlich. Das liegt zum Teil an dem Geborgenheitsgefühl, das durch sanfte Zärtlichkeit vermittelt wird, aber es steckt noch mehr dahinter. Tatsächlich übt sich die Mutter nämlich in einem uralten magischen Brauch und saugt die »bösen Kräfte« aus, die den Schmerz angeblich verursacht haben. In früheren Jahrhunderten wäre das saugende Element beim Lippenauflegen sehr viel stärker zum Tragen gekommen, doch im Laufe der Zeit ist die wahre Bedeutung des »Küßchens, das alles wiedergutmacht« in Vergessenheit geraten, und heute ist an die Stelle des kraftvollen Saugens der Geistheiler ein einfacher liebevoller Kuß getreten.

Woher stammt die Bezeichnung »Baby«?

I m Englischen wurde der neugeborene Mensch ursprünglich als *Baban* bezeichnet. Das wurde dann auf *Babe* verkürzt, und aus Babe wurde später *Baby*. Die Entwicklung von Baban über Babe zu Baby ist vergleichbar mit der Abwandlung von Vornamen wie Thomas, aus dem erst Tom und dann Tommy wird, oder Nicola, aus der Nick und später Nicky wird. Doch bei Tommy und Nicky sind wir uns noch der Tatsache bewußt, daß es sich um Kosenamen handelt, während Baby zur offiziellen Bezeichnung für Neugeborene avancierte. Das Vorgängerwort Babe wird jetzt nur noch in biblischen oder poetischen Kontexten benutzt, und die Bezeichnung Baban ist schon seit über 700 Jahren aus dem Sprachgebrauch verschwunden.

Diese drei Bezeichnungen für Neugeborene und noch viele andere Varianten wie Bab, Baba, Babi, Babee, Babby, Babie, Babye, Babbon und das französische Bébé gehen auf denselben Ursprung zurück, nämlich den ersten deutlich vernehmbaren Laut, den das Kind ungefähr im Alter von drei bis vier Monaten von sich gibt, wenn es anfängt, offene Vokale zu üben. Da sind zuerst die langen Aaas und Ooos zu hören, die an das Gurren einer Taube erinnern. Dann kommen Konsonanten dazu, und aus dem Durcheinander aus früherem Gebabbel und Gegurgel entsteht dann plötzlich so etwas wie ein Wort. An diesem Meilenstein in Richtung Kommunikation durch Sprache werden ganz zu Anfang drei Konsonanten bevorzugt: B, M und P. In Kombination mit dem Aaa-Laut entstehen drei Hauptverbindungen: baa, maa und paa. Es ist kein Zufall, daß diese drei ersten »Wörter« des Babys zur Be-

221

zeichnung der drei wichtigsten Personen in seinem Leben wurden: von ihm selbst, seiner Mutter und seinem Vater. Aus dem baa wurde *Baba,* aus dem maa wurde *Mama,* und aus dem paa wurde *Papa.* Durch einfache Wiederholung ist das Kind in der Lage, die drei Schlüsselwörter zu bilden, die es vor allen anderen lernt. Welcher Name nun welcher Person zugeordnet wurde, war zu Anfang wahrscheinlich eher Zufall, doch als die Bezeichnungen für Vater, Mutter und Kind einmal festgelegt waren, gab es kein Zurück mehr.

Register

223